APPRENDRE AUTREMENT
AVEC
LA PÉDAGOGIE POSITIVE

Éditions Eyrolles
61, boulevard Saint-Germain
75240 Paris cedex 05
www.editions-eyrolles.com

La collection *Apprendre Autrement* propose des livres pour apprendre de façon ludique, créative et avec plaisir.

Illustrations originales de FILF, enrichissement de la maquette réalisé par FILF.

Les cartes logicielles ont été réalisées par les auteurs sous xmind et imindmap.

© Shutterstock pages 35, 37, 72, 74, 75, 81, 128, 129, 131, 139, 151, 157, 169, 184

© Time Timer page 72

© Droits réservés pages 162, 163

Mise en page : Caroline Verret

© Groupe Eyrolles, 2013
ISBN : 978-2-212-55534-9

Audrey Akoun
Isabelle Pailleau

APPRENDRE AVEC
LA PÉDAGOGIE POSITIVE

À la maison et à l'école, (re)donnez
à vos enfants le goût d'apprendre

Préface de Florence Servan-Schreiber

Neuvième tirage 2014

EYROLLES

SOMMAIRE

APPRENDRE AVEC LA PÉDAGOGIE POSITIVE

PRÉFACE

La lecture de ce livre a comblé mon goût pour les desserts. J'appartiens en effet à la catégorie des gens qui gardent toujours de la place pour le sucré, quelles que soient les quantités avalées. Et j'ai vécu ce voyage au cœur de la pédagogie positive comme un banquet très réussi.

Quand on est invité, on aime bien savoir avec qui on va dîner. Audrey Akoun et Isabelle Pailleau se présentent avec beaucoup de naturel et m'ont tout de suite mise à l'aise. Ce qu'elles racontent, elles le pratiquent. Il semblerait que leurs enfants soient des gens normaux, c'est-à-dire qu'ils ne ressemblent à personne d'autre qu'à eux-mêmes et qu'être leur parent est aussi sportif que d'être les parents des miens. Nous sommes donc entre nous, et ça, c'est bien.

La table est déjà mise : elles les connaissent bien, ces lieux communs sournois que nous avons traversés en apprenant et que nous reproduisons peut-être maladroitement auprès de nos enfants. Leurs descriptions et expériences me donnent la sensation d'être au bon endroit. Le raffinement de la vaisselle me laisse supposer le meilleur en cuisine. Mais cette cuisine est familiale et sans chichi. Elles racontent bien leur tour de main et l'appétit me vient.

Car il est bon de regarder des enfants grandir au fil des pages. Pas pour être plus hauts, mais beaucoup plus confiants. Combien de fois ai-je vu les miens douter vaillamment, mais douter tellement. Dans les marmites de ce repas, il y a des émotions accueillies, du plaisir, des libérations, des couleurs et du mouvement. Parce que si l'on cuisine avec un tout petit peu d'attention, il est interdit de s'ennuyer en apprenant.

APPRENDRE AVEC LA PÉDAGOGIE POSITIVE

Mais le meilleur du best du top du championnat du livre, c'est l'arbre en sucre de la fin. Alors là, c'est la grosse claque ! Voyez-vous, je vis avec un homme qui « Mind Map® » comme il parle, c'est-à-dire tout le temps. Mais nous n'avons jamais pris la peine de lui demander de nous raconter à quoi ça lui servait. Et là, soudain, je vois. Qu'il y a là quelque chose qui peut tellement nous soulager. Quand je dis « nous », c'est vous, c'est moi, et nos enfants à tous et toutes. Avec quelques couleurs, on peut faire autrement. Avec de la hauteur, on peut surtout se voir plus grand.

C'est celui-là, le vrai dessert. Tellement appétissant que j'ai pris mes enfants sous le bras et que nous sommes allés rencontrer Audrey et Isabelle pour nous former à jardiner nos idées. Je ne voulais plus vivre sans cela. J'en voulais plus, de ce gâteau-là. Pour eux, certainement, mais aussi pour moi. Car tout enfant que je ne suis plus, j'apprends à tour de bras et je crée souvent.

Je vous souhaite donc de savourer les mille saveurs de ce voyage. Pour tout de suite, mais aussi pour tout le temps, car quel plus beau délice que de rencontrer un monde de possibilités que jusque-là, on n'avait pas exploré.

Florence Servan-Schreiber

MODE D'EMPLOI

 CAS PRATIQUE
A partir d'une difficulté rencontrée, nous expliquons comment y remédier

 ASTUCE
Des petits "trucs" à mettre en oeuvre facilement

 EXERCICE
Un exercice à expérimenter

 RÉFLEXION
Pensée, citation ou réflexion sur un sujet

 TÉMOIGNAGE
Histoire entendue en consultation ou en atelier

 PARENTHESE HISTORIQUE
Découverte des grandes figures de la psychologie et de la pédagogie et de leur approche

A noter : les termes suivis d'un astérisque sont définis en glossaire, page 185.

PROLOGUE

Ce livre est le fruit d'une rencontre de mamans à l'école de leurs enfants, il y a bientôt dix ans. Cette heureuse rencontre allait changer le cours de nos vies professionnelles. Par le plus grand des hasards, nous exercions dans le même domaine des activités complémentaires. Pour l'une, psychothérapeute comportementaliste et cognitiviste, courant fondateur de la psychologie positive, et sophrologue. Pour l'autre, psychologue du travail et des apprentissages, formée à la gestion mentale d'Antoine de la Garanderie et à la thérapie familiale systémique. Nous avions en commun une expérience d'enseignante et de formatrice.

Les heures d'attente patiente, assises sur le banc du square, à regarder nos chérubins remonter le toboggan à contresens, ont largement favorisé des discussions métaphysiques, philosophiques, humoristiques, pratico-pratiques et autres mots en -ique… Ces temps d'échanges autour de nos pratiques nous ont rapidement conduites à une réflexion plus approfondie sur l'apprentissage et la pédagogie. Et sur la famille dans tous ses états.

Nous avons donc décidé de faire cabinet commun et de signer un Pacs (professionnel bien sûr !).

L'histoire commence donc dans les allées de célèbres magasins suédois ou français, spécialistes de l'ameublement. Slalomant entre les tables, les canapés, les poufs et autres lampes, nous avons choisi le mobilier et décoré notre cabinet en suivant l'excellent adage : «Charité bien ordonnée commence par soi-même.» Sachant que nous allions passer beaucoup de temps sur notre lieu de travail, nous voulions qu'il nous plaise avant tout. Approche égoïste mais qui ferait aussi plaisir aux patients. En tant que patientes, nous aussi, nous détestons les salles d'attente garnies de vieux meubles de récup, de chaises dépareillées et des derniers *Paris Match* relatant le mariage de Charles et Diana. Dans un décor pareil, votre moral est déjà dans les chaussettes avant même d'avoir mis un pied dans le bureau du psy traditionnel. (Toute ressemblance avec des faits et des situations existants, ou ayant existé, est indépendante de la volonté des auteurs de ce livre, oups !)

Notre salle d'attente est ainsi très gaie et apaisante à la fois. Un canapé violet et des fauteuils orange entourent une table basse en bois blond sur laquelle vous pouvez trouver ce qui se fait de mieux dans le paysage des magazines et BD. Chez nous, c'est plutôt *Rock & Folk*, *Première*, *Géo*, et *Psychologies*. Par goût, et pour intéresser les papas aussi.

Les parents s'endorment parfois dans le canapé pendant la séance de leur enfant, ou rêvent dans cet univers chaleureux où les stickers de libellules et poissons volants colorés jouent à cache-cache entre les herbes hautes sur le mur.

Les gens qui ne connaissent pas notre professionnalisme doivent nous prendre pour des folles lorsqu'ils entendent les rires qui s'échappent de nos bureaux.

De même, il n'est pas exclu que l'Aide sociale à l'enfance ne nous tombe dessus lorsqu'un parent dépourvu d'humour ira se plaindre de ce que nous prônons «le bon coup de bottin qui ne laisse pas de trace» quand les enfants sont trop nuisibles. Heureusement, nous prenons soin de sous-titrer nos blagues au premier rendez-vous.

Pendant toutes ces années, nous avons écouté nos patients – petits et grands – nous raconter leurs difficultés et leurs souffrances. Nous avons vu des parents s'effondrer en larmes face à leur impuissance à aider leur enfant. Nous avons été bouleversées par certains enfants coincés dans des difficultés et tellement malheureux, se sentant tellement coupables de ne pas y arriver.

Nous nous sommes vite aperçues que les patients venaient souvent nous voir en dernier recours. Ils avaient entendu parler de nous et de notre approche différente. Il est vrai qu'avec les années, nous nous sommes écartées de l'orthodoxie de ce que nous avions appris en sortant de l'école.

Nous avons résolument choisi une approche intégrative de la psychologie et de la pédagogie. Pourquoi s'enfermer dans un seul courant alors que chaque approche offre des théories et des outils intéressants ?

Cette manière d'exercer nous a parfois valu des prises de bec avec certains de nos confrères qui trouvaient nos méthodes peu orthodoxes (entendez «pas assez sérieuses»).

-10-

Alors oui ! Nous dialoguons beaucoup, nous rions, nous pleurons quelquefois, nous pouvons nous permettre d'exprimer notre colère, nous pouvons être directives aussi. Il nous arrive même de faire des câlins parce que nous sommes persuadées qu'à certains moments ceux-ci sont thérapeutiques.

Fortes de toutes ces années d'expérience clinique en cabinet, dans l'enseignement traditionnel et dans l'enseignement à pédagogie différenciée, nous avons développé une approche globale, concrète et outillée qui prend en compte le cognitif, l'émotionnel et le somatique ; ce que nous appelons notre « approche Tête, Cœur, Corps ».

Cette approche permet à l'enfant, et à ceux qui l'accompagnent (parents, enseignants, rééducateurs…), de prévenir, d'identifier et de corriger les difficultés et les troubles d'apprentissage et du comportement.

Nous accompagnons sérieusement, et avec légèreté et humour, les enfants et adolescents pour les aider à trouver du sens à leur travail scolaire, à trouver leurs propres méthodes d'apprentissage afin qu'ils mettent en œuvre des stratégies cognitives et affectives adaptées.

L'enfant faisant partie intégrante de son système familial, nous prenons en charge également les parents tant désireux de mieux comprendre les interactions avec leur(s) enfant(s) et de réfléchir sur les conduites à tenir.

Et comme l'enfant fait également partie d'un système social, scolaire, nous formons régulièrement des enseignants, des accompagnateurs, des rééducateurs à une Pédagogie positive®, ludique et innovante qui favorise une relation saine à l'apprentissage pour leurs élèves et pour eux-mêmes.

À chaque étape de son parcours, dans chaque lieu de son développement, à chaque moment important de son histoire, nous pensons qu'il est important que, dès le début, l'enfant se forge une image positive de lui-même pour qu'il se développe harmonieusement.

INTRODUCTION

L'objet de ce livre est de partager avec vous notre réflexion sur l'apprentissage et la pédagogie, mais aussi notre expérience de mamans et de professionnelles.

Nous comptabilisons, à nous deux, sept enfants âgés de 1 an à 19 ans. Vous imaginez bien que statistiquement, nous en avons vu de toutes les couleurs. Entre les maux de ventre qui empêchent d'aller à l'école, les crises d'hystérie au moment des devoirs, les sauts de classe ou les redoublements, les choix d'orientation différents (CAP Pâtisserie et prépa maths/physique…), nous avons accumulé une expérience qui nous est à la fois personnelle et typique de celle que vit la majorité des parents du monde entier. Exception faite du petit dernier qui n'est pas encore concerné par la question des apprentissages scolaires. Cependant, nous l'avons à l'œil car on ne sait pas ce qu'il nous prépare.

En tant que professionnelles, nous entendons souvent les gens nous dire : «Oh bah, vous, avec votre métier, vous ne devez pas avoir de problèmes avec vos enfants.» Comme si, par le miracle de notre métier, nos enfants étaient tous premiers de la classe, que nous ne criions jamais et restions cools en toutes circonstances. Si seulement…

Au risque d'en décevoir certains, nous accumulons aussi les «grosses» et les «petites» bêtises de parents que nous considérons comme faisant partie de l'expérience parentale. Les parents de nos patients savent bien que nous ne nous gênons pas pour partager quelques exemples à valeur thérapeutique.

Avec ce livre, nous voulons donner des pistes pour tenter autre chose en matière d'éducation et de pédagogie. Nous sommes nourries de lectures, de conférences, de formations en psychologie positive que nous avons largement expérimentées dans l'enseignement, dans la prise en charge des patients et dans nos familles. Nous avons imaginé une pédagogie positive à la française que nous voulons partager avec vous.

12

Nous allons partir d'un état des lieux, pas franchement folichon (chapitres 1 à 3), pour vous emmener avec nous à la découverte d'une autre voie, celle de la Pédagogie positive® qui, à l'instar de la psychologie positive*, s'intéresse aux conditions favorisant le bien-être de l'élève dans une vision globale de ses besoins, ce que nous avons appelé notre approche Tête, Cœur, Corps, c'est-à-dire cognitive, émotionnelle, relationnelle et physique (chapitres 4 à 6). Cette approche met l'accent sur la façon dont tous les intervenants (parents, enseignants, éducateurs), l'environnement d'apprentissage (à la maison ou à l'école) et les méthodes d'apprentissage, contribuent au bien-être et à l'épanouissement harmonieux des enfants (chapitres 7 à 9).

Ce livre s'adresse donc à vous, parents, qui essayez de faire de votre mieux pour vos enfants, avec toute votre énergie et avec tout votre cœur.

Ce livre s'adresse également à vous, enseignants et accompagnants, qui essayez de faire de votre mieux pour les enfants qui vous sont confiés, avec toute votre énergie et avec tout votre cœur.

Afin que vous n'oubliiez jamais que lorsque vous avez vu votre bambin vous sourire pour la première fois, vous étiez alors persuadé qu'il était le plus beau bébé du monde, voire de tout l'univers. Et que quand vous l'avez vu tomber cent cinquante-neuf fois avant qu'il ne fasse ses premiers vrais pas, à aucun moment vous n'avez douté du fait qu'il y arriverait.

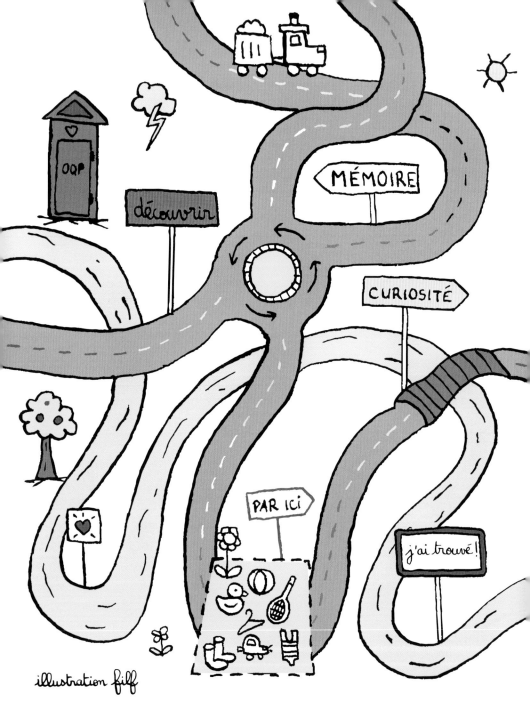

Première partie

L'APPRENTISSAGE DANS TOUS SES ÉTATS

UN ÉTAT DES LIEUX
PAS FOLICHON

> • Un système de pression descendante dont nous faisons tous les frais.
> • La réussite scolaire à la première place des préoccupations parentales.
> • Cette réussite scolaire a un prix.

Nous rencontrons de plus en plus de parents angoissés quant à l'avenir de leurs enfants. Pire, nous constatons que les demandes de consultation concernent des enfants de plus en plus jeunes, parfois dès la maternelle ! Il n'est pas rare d'entendre des parents complètement affolés et démunis lorsque leur enfant au CP ne sait pas lire couramment quand arrivent les vacances de Noël.

Une pression descendante

Les parents sont souvent confrontés aux difficultés croissantes dans le monde professionnel. Surcharge de travail, organisation du travail parfois délirante, environnement hostile, pression en termes de résultats, d'échéances, etc., sont autant d'éléments qui font peser une pression négative sur les adultes. Quand il n'est pas question de chômage et d'insécurité sociale…

Les adultes ramènent, inconsciemment, cette pression dans la sphère familiale. Car il est bien illusoire de croire que nous laissons nos problèmes et nos angoisses au vestiaire !

Dans un environnement de travail où les personnes ont de moins en moins l'impression d'avoir la main sur leur activité, et où elles perdent parfois le sens de leur action, nous observons que le contrôle se renforce dans la sphère privée, notamment avec une pression sur le travail scolaire des enfants et une attente de réussite élevée.

Les enseignants aussi subissent cette pression descendante. Ils sont investis, par la société et par les parents, de la mission, ô combien difficile, d'aider les élèves à acquérir des connaissances et des compétences qui leur permettront de s'insérer professionnellement à l'issue du parcours, d'une vingtaine d'années maximum, qui va de la maternelle jusqu'aux diplômes de fin d'études. Ils subissent à double titre la pression descendante aussi bien à un niveau professionnel que personnel. En tant que professionnels d'abord, en termes d'objectifs avec une responsabilité énorme sur les épaules et en termes de moyens avec des classes surchargées et un manque de moyens matériels. Et sur un plan plus personnel ensuite, car la réussite ou l'échec de leurs élèves vient les atteindre au plus profond de leur confiance dans leurs capacités d'enseignant.

Nous retrouvons les mêmes éléments de pression transposés aux apprentissages scolaires : surcharge de travail ou d'activités, obligation de bons résultats, rapidité d'ingestion des connaissances, perfectionnisme, etc. Cette pression descendante a un effet pervers : elle crée chez les parents des attentes démesurées envers leurs « bambins » adorés qui deviennent des objets de souffrance et d'inquiétudes parentales dès lors qu'ils ne satisfont pas à ces exigences.

Nous vous avions annoncé que ce n'était pas folichon, non ? Bon, on continue quand même ? Très bien, c'est parti !

La réussite scolaire à tout prix

La réussite scolaire occupe la première place des préoccupations parentales.

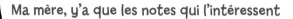

Ma mère, y'a que les notes qui l'intéressent

Fanny, 17 ans, vient consulter avec sa mère. Après une 1re S, très difficile psychologiquement pour elle, elle redouble en 1re STIDD (Sciences et Technologie de l'Industrie et du Développement Durable) car elle veut être architecte. Réunion de crise au sommet au cabinet car Fanny attend ses 18 ans pour partir de chez elle tant elle ne supporte plus les disputes continuelles avec sa mère. Quand nous demandons à Fanny ce qui l'énerve le plus, elle répond : « Ouais mais j'en peux plus, y'a qu'un truc qui l'intéresse, c'est l'école et mes notes, moi, elle en a rien à f... » Quand nous demandons à la mère, elle reconnaît son inquiétude et ses angoisses quant à l'avenir de sa fille, redoublante précise-t-elle, et que de ce fait, elle contrôle, vérifie et met la pression sur l'école. Elle déplore, elle aussi, que la question de l'école prenne toute la place dans leur relation au détriment d'une complicité mère-fille.

La situation de Fanny et sa mère n'est pas un cas isolé, loin s'en faut. Il ne se passe pas une journée sans que nous entendions ces préoccupations dans notre pratique.

À quoi correspond cette réussite scolaire tant convoitée ? Pour tenter de répondre à cette question, faites les exercices qui suivent.

Petite expérience à faire en famille (suivant l'âge des enfants bien sûr)

Quelle différence faites-vous entre réussir sa vie ou réussir dans la vie ?

Vous avez deux heures et on ne copie pas sur le voisin (humour).

APPRENDRE AVEC LA PÉDAGOGIE POSITIVE

> **Seconde petite expérience à faire en famille (suivant l'âge des enfants bien sûr)**
>
> La réussite scolaire est-elle proportionnelle à l'intelligence ?
>
> Comment mesure-t-on cette réussite ? Avec les notes, ou avec l'épanouissement et le plaisir au travail ?
>
> Vous avez encore deux heures, et inutile de faire semblant de travailler, nous vous avons à l'œil (humour bis).

Bon, nous vous laissons réfléchir et de toute façon, vous trouverez des réponses à ces questions un peu plus loin dans l'ouvrage (mais contrairement au livre dont vous êtes le héros, nous ne vous dirons pas à quelle page, de manière à être sûres que vous lisiez toute notre prose).

Cette réussite scolaire a un prix. Eh oui, dans la vie, toute chose a un prix (à part peut-être les merveilleux colliers de pâte de la fête des mères qui sont inestimables). La réussite scolaire n'échappe pas à la règle.

★ Un coût financier

La réussite scolaire a un coût financier. En 2011, l'Institut international de planification de l'éducation de l'Unesco a publié une étude de Mark Bray intitulée « L'ombre du système éducatif ». Dans cette étude, l'auteur révèle que malgré une légère baisse d'activité dans le secteur du soutien scolaire privé, due à la crise depuis 2008, la France reste l'une des championnes du soutien scolaire privé en Europe avec plus de 2 milliards d'euros de chiffre d'affaires. Viennent derrière elle l'Allemagne (avec 1 milliard), la Grèce d'avant la crise (avec 950 millions), l'Espagne et l'Italie ex aequo (avec 450 millions.).

Mark Bray indique que les états d'Europe du Nord, dont la Finlande, « paraissent les moins affectés par ce phénomène. Ces pays assurent, en effet, un service de qualité dans l'enseignement public qui semble satisfaire largement les attentes des familles ». Vous comprendrez pourquoi au chapitre 9 quand nous parlerons de l'utilisation de certains outils d'apprentissage (voir page 172).

À l'inverse, en Europe occidentale et notamment en France, «la compétition imposée par la société, la course aux résultats scolaires, la préparation intensive aux examens et la pression transmise aux familles ainsi qu'aux enfants ont davantage contribué à l'expansion d'une éducation parallèle».

Bien qu'il y ait une défiscalisation à hauteur de 50 % des sommes engagées par les parents, le soutien scolaire reste un poste non négligeable dans le budget des familles. Quid des familles qui n'ont pas les moyens ?

Dans le même temps, le nombre des demandes de consultation chez un spécialiste (orthophoniste, pédopsychiatre, psychologue, psychomotricien, graphothérapeute, etc.) est en augmentation croissante.

La pression croissante autour de la réussite scolaire renforce les parents désemparés dans l'idée qu'ils vont pouvoir trouver une recette miracle. Au moindre trouble observé, certains enseignants dirigent de plus en plus les parents vers des solutions extérieures à l'école. «Vous devriez peut-être aller consulter» est une phrase qui est soit prononcée, soit tellement induite, que les parents en quête de solutions se précipitent pour prendre rendez-vous. Loin de nous l'idée d'incriminer les enseignants. En effet, la disparition des réseaux d'aide (RASED) a contribué à les laisser démunis face aux solutions à proposer en interne.

Avec tout ce qu'on dépense pour t'aider, tu as intérêt à avoir des bonnes notes !

Alisa est venue en consultation accompagnée par sa grand-mère qui s'occupe d'elle le mercredi. Nous suivons la petite-fille car elle est très stressée et perd ses moyens pendant les contrôles. Au moment de payer, la grand-mère lance un « Eh bien, ce n'est pas donné ! De mon temps [expression souvent employée à partir d'un certain âge], on n'emmenait les enfants chez le psy que pour des problèmes graves et pas pour des histoires d'école... »

Nous sommes les premières à reconnaître ce phénomène actuel. Comme nous l'écrivions précédemment, depuis une dizaine d'années, nous notons une augmentation croissante de demandes de consultation pour des difficultés liées directement ou indirectement au travail scolaire et concernant des enfants de plus en plus jeunes.

Nous attirons votre attention sur le fait que l'augmentation du prix investi dans la réussite scolaire des enfants a pour effet pervers l'attente d'un retour sur investissement. Nous entendons malheureusement fréquemment des parents dire à leur enfant : « Avec tout ce que nous dépensons pour t'aider, t'as intérêt à avoir de bonnes notes et à réussir brillamment ton examen. » Aïe ! Aïe ! Aïe !

Notre propos, ici, n'est pas de culpabiliser les parents qui l'ont déjà dit ou déjà pensé. Ils ne sont pas fautifs. Leur réaction n'est autre que la conséquence logique de la perversité du système qui, au bout du compte, rajoute encore plus de pression sur les parents et leurs enfants.

★ Un coût psychique et somatique

Nous observons que la course à la réussite scolaire entraîne aussi des souffrances psychiques et somatiques. La plupart des enfants qui viennent consulter pour un « problème d'école » présente un ou plusieurs des symptômes ci-dessous :

- ❑ troubles du sommeil,
- ❑ troubles de la mémoire,
- ❑ inhibition,
- ❑ trac, perte des moyens,
- ❑ maux en tous genres,
- ❑ angoisses diverses,

- ❑ peur de l'échec,
- ❑ TIC et TOC,
- ❑ troubles du comportement (agressivité, troubles alimentaires),
- ❑ conduites déviantes,
- ❑ dépression.

Nous précisons que cette liste n'est pas exhaustive et n'a pas de valeur d'auto-diagnostic. En effet, les troubles mentionnés ne sont pas exclusivement caractéristiques des difficultés scolaires. Si votre enfant présente un ou plusieurs symptômes, nous vous invitons à consulter un médecin, un pédopsychiatre ou un psychologue (en fonction des troubles) qui saura vous orienter ou vous rassurer.

Mais quid du plaisir d'apprendre ? De la curiosité ? Des talents ? Des passions ? Nous terminons notre état des lieux, pas folichon, par ces petites questions ouvertes que nous vous invitons à laisser tourner dans votre tête et qui trouveront une réponse, la vôtre, au fil de la lecture de ce livre.

LA CHASSE
AUX MYTHES

> • L'apprentissage : une colonie de mythes et autres croyances à la vie très très longue (trop longue ?).
> • Leur tordre le cou pour rentrer de plain-pied dans une Pédagogie positive®.

Avant d'aborder la question de l'apprentissage d'un point de vue pratique, il nous semble important de mettre un sérieux coup de pied dans la fourmilière géante des mythes limitants, inhibants, normatifs, anxiogènes… et nous arrêtons là la longue liste des qualificatifs.

Commençons donc par secouer la termitière et faisons tomber une à une les croyances les plus tenaces !

Ça vous dit quelque chose ?

On n'a rien sans rien !

Il faut souffrir pour être intelligent(e), pour y arriver…

C'est trop facile, c'est pas normal !

Mon enfant est feignant.

Il faut travailler beaucoup.

Pour réussir, il faut être motivé.

On est doué ou on n'est pas doué !

Fais un effort ! Mets la gomme !

Mythe n° 1 : On n'a rien sans rien...

Pour peu que l'on ait connu un système éducatif à la dure, et même sans l'avoir vécu, nous baignons dans une tradition judéo-chrétienne à la française qui repose sur la souffrance, la culpabilité, le devoir. Rappelons que le mot travail vient de *tripalium*, objet de torture du Moyen-Âge. Édifiant, non ? C'est pourquoi, nous avons trop souvent tendance à penser, en tant que parent, qu'il faut souffrir pour… être belle, réussir, y arriver (barrer les mentions inutiles !).

Ce discours éducatif semble daté, mais il persiste encore des croyances du genre : « on n'a rien sans rien », « mieux vaut les habituer à souffrir maintenant parce que plus tard l'employeur ne leur fera pas de cadeaux », « si on réussit sans effort, ça n'a pas de valeur », « on ne gagne pas son pain sur le dos », etc.

Eh bien, même si cela semble évident, ce que nous en disons c'est que ce discours n'est qu'une croyance qui n'a de valeur que parce que nous y croyons. Élémentaire, mon cher Watson ! En effet, les connaissances neurophysiologiques démontrent clairement que le message délivré va conditionner la manière dont nous percevons le monde et notre rapport au travail. Il va avoir des conséquences sur notre comportement et notre réalité. Si je crois qu'il faut souffrir pour apprendre, il y a de fortes chances que je m'enferme (ou que j'enferme mon enfant) dans un schéma dans lequel les apprentissages seront longs et difficiles.

À ce titre, l'expérience d'Oak School (l'effet Pygmalion) mise en œuvre par le psychologue américain Robert Rosenthal* et la directrice d'école Leonore Jacobson* est tout à fait édifiante.

L'effet Pygmalion

Robert Rosenthal, psychologue américain né en 1933, a découvert l'effet Pygmalion en réalisant l'expérience suivante.

Après avoir constitué deux échantillons de rats totalement au hasard, il informe un groupe de six étudiants que le groupe n° 1 comprend six rats sélectionnés d'une manière extrêmement sévère. On doit donc s'attendre à des résultats exceptionnels de la part de ces animaux.

Il signale ensuite à six autres étudiants que le groupe des six rats n° 2 n'a rien d'exceptionnel et que, pour des causes génétiques, il est fort probable que ces rats auront du mal à trouver leur chemin dans le labyrinthe. Les résultats confirment très largement les prédictions fantaisistes effectuées par Rosenthal : certains rats du groupe n° 2 ne quittent même pas la ligne de départ.

Après analyse, il s'avère que les étudiants qui croyaient que leurs rats étaient particulièrement intelligents leur ont manifesté de la sympathie, de la chaleur, de l'amitié ; inversement, les étudiants qui croyaient que leurs rats étaient stupides ne les ont pas entourés d'autant d'affection.

L'expérience est ensuite retentée avec des enfants, à Oak School, San Francisco, aux Etats-Unis, par Rosenthal et Jacobson, mais en jouant uniquement sur les attentes favorables des maîtres.

Dorénavant, Rosenthal et Jacobson savent qu'ils peuvent jouer avec le discours. Ils choisissent, pour leur expérience, un quartier pauvre, délaissé par les politiques et où habite un nombre important de familles immigrées vivant dans des conditions très difficiles. Ils se présentent dans une école de ce quartier et prétendent qu'ils dirigent une vaste étude à Harvard sur l'éclosion tardive des élèves.

Rosenthal et Jacobson font passer un test de QI à l'ensemble des élèves, puis s'arrangent pour que les enseignants prennent connaissance des résultats qu'ils ont préalablement tronqués (20 % des élèves se sont vus attribuer un résultat surévalué). À la fin de l'année, Rosenthal et Jacobson font repasser le test de QI aux élèves.

Le résultat de l'expérience démontre qu'une année après le premier test, les 20 % des élèves aux résultats surévalués se sont comportés comme les souris du premier groupe : ils ont amélioré de 5 à plus de 25 points leurs performances au test d'intelligence. Et ce, grâce au regard qu'ont pu porter les enseignants sur eux.

Source : d'après Wikipédia.

Cette expérience démontre que les performances d'un élève sont directement liées aux attentes de l'adulte sur cet élève et au regard qu'il va porter dès lors sur lui.

Si je crois que l'apprentissage est un processus naturel de développement dans lequel l'on passe par des étapes d'essai, d'erreur, de blocage, de déblocage, d'ajustements et que nous l'inscrivons dans un projet à long terme, je vais aborder ces étapes plus sereinement et mettre en œuvre des moyens favorables à son accomplissement, étape après étape. Ce projet va jusqu'à la fin du développement neurophysiologique de l'enfant, soit environ autour de la vingtaine, parfois 45 ans pour les hommes ☺. Sachant que l'apprentissage ne s'arrête pas à la porte de l'école, nous allons encourager notre enfant à devenir un découvreur. Nous apprenons toute notre vie ! Bonne nouvelle, non ?

Petit instant de réflexion rétrospective

Lorsque votre chérubin a appris à marcher, et que vous l'avez vu tomber de nombreuses fois, vous êtes-vous dit : « Oh, là, là, ça va être très très dur. Je pense même qu'il n'y arrivera jamais, c'est fichu ! » ?

Nous ne jouons pas les candides pour autant. Lorsque l'on regarde la réalité du monde du travail aujourd'hui, on ne peut pas écarter le fait qu'elle est devenue difficile (pression, stress, incertitudes quant à l'avenir, etc.).

Doit-on, néanmoins, habituer les enfants très tôt à souffrir et leur faire porter une pression dont les conséquences seront du mauvais stress et une perte de confiance en eux qui va les fragiliser ? Ou doit-on, au contraire, se dire que pour être préparé à affronter plus tard des épreuves difficiles, il vaut mieux les avoir outillés, avoir renforcé leur estime d'eux-mêmes et la confiance en leurs capacités pour les aider à devenir des adultes mieux armés et responsables de leur bien-être ?

Mythe n° 2 : Dans notre famille, on est/on n'est pas...

Parmi les autres croyances qui ont la vie dure, l'on retrouve les croyances génético-familiales du genre « chez nous, on n'a pas la bosse des maths » ou « de toute façon, on est doué ou on ne l'est pas », mais aussi en version positive « chez nous, on est tous super sportifs » ou « on est super doués en langues ». Nous sommes persuadées que vous en trouverez facilement d'autres.

Même si cette croyance est intéressante en ce qu'elle renforce l'appartenance à une filiation ou à des liens familiaux, elle est pour le moins très enfermante car elle autorise peu à se démarquer du groupe.

Quand la croyance est négative, elle enferme dans un schéma d'échec mais lorsqu'elle est positive, elle enferme tout autant. Chacun se retrouve alors piégé dans un schéma d'obligation de réussite qui peut être très culpabilisant s'il n'y arrive pas.

Ces croyances laissent peu de place à l'émergence des talents propres à chacun et ne laissent pas l'opportunité de les cultiver.

Petit exercice à propos de vos croyances familiales

Pour vous amuser, faites la liste de toutes les croyances familiales en commençant par « chez nous, on est... », puis « chez nous, on n'est pas... », et aussi « chez nous, on fait... », etc.

Mythe n° 3 : Je sais/je sais pas...

Nous rencontrons beaucoup d'enfants, d'adolescents mais aussi d'adultes qui fonctionnent avec ce que nous appelons la « pensée magique ». Lorsque nous posons une question, ils vont ouvrir le petit tiroir dans leur tête. Si la réponse y est, tout va bien ! En revanche, si le tiroir est vide, catastrophe ! Nous avons alors droit à un « je ne sais pas » qui tombe comme la guillotine sur la tête de Marie-Antoinette, c'est-à-dire sans possibilité de recoller les morceaux (nous présentons nos excuses à la famille de Marie-Antoinette pour cet exemple parlant, mais qui peut réveiller de vieilles blessures).

Encore une fois, ce fonctionnement est un automatisme acquis qui est la conséquence directe de l'obligation de réussite immédiate.

Le « je ne sais pas » est caractéristique de la peur de se tromper. Qui n'a pas en tête une petite remarque délicieusement encourageante d'un adulte disant : « Si c'est pour dire des âneries, tu ferais mieux de te taire » ; remarque qui donne une envie folle de retenter sa chance, non ?

L'enfant qui est dans la pensée magique n'a pas encore tordu le cou à la « toute-puissance » caractéristique du petit enfant. Dès lors, il ne supporte pas le temps de suspension (écart entre le « je ne sais pas (encore) » et le « je sais ») qui engendre une frustration qu'il va apprendre à supporter à mesure qu'il grandit.

Astuce

Comment se réconcilier avec le temps de réflexion ? Lorsque votre enfant vous répond du tac au tac un « je ne sais pas », proposez-lui la phrase suivante : « Pose la question à ton cerveau et attends qu'il te réponde. S'il te plaît, ne le brusque pas, il n'aime pas ça. »

APPRENDRE AVEC LA PÉDAGOGIE POSITIVE

Mythe n° 4 : Je suis fort(e)/nul(le) ; J'aime/j'aime pas...

Jules, CM1, annonce fièrement : « Moi, je suis trop fort en fractions. D'ailleurs, j'adore les maths. Mais j'aime pas le français, j'y arrive pas. »

Que nous dit Jules ? Qu'il est persuadé d'avoir la science infuse en maths et que le français est fâché avec lui ?

Jules aimerait-il autant les maths s'il n'y arrivait pas ? Pas sûr. En revanche, si les notes de Jules augmentaient en français, nous sommes sûres, pour l'avoir observé de nombreuses fois, que Jules se mettrait à aimer le français.

Nous n'avons jamais entendu un patient nous dire : « Je suis le premier de la classe en maths et je déteste cette matière. » Au mieux, on peut exceller dans un domaine qui nous laisse indifférent.

Concernant le « j'aime/j'aime pas », nous postulons qu'il s'agit, également, d'une stratégie d'évitement qui permet de rationaliser la douleur de ne pas y arriver. En général, on aime ce que l'on réussit bien et on a beaucoup plus de mal à aimer les matières où l'on n'est jamais en réussite.

Mythe n° 5 : Je peux faire plusieurs choses à la fois...

Comme le rappelait Christophe Plottard dans « Gare au *multitasking* » (voir bibliographie, page 192) : « Le mélange de plusieurs activités simultanées porte un nom : le *multitasking*. En français, le multitâche. Un phénomène lié au développement des nouvelles technologies, auquel tout le monde semble s'être accoutumé. »

Aujourd'hui, le phénomène s'est accentué et il est courant de voir des ados faire leurs devoirs en surfant sur Facebook tout en envoyant des SMS avec un casque sur les oreilles pour écouter leur musique.

En 2009, le professeur Earl Miller, spécialiste en neurologie au Massachusetts Institute of Technology, a démontré dans ses travaux de recherche que le cerveau

humain est incapable de gérer efficacement plusieurs choses à la fois. Il ne peut que passer d'une tâche à l'autre avec plus ou moins d'efforts et d'efficacité. Le « multi-tâche » demande beaucoup plus d'efforts au cerveau que de traiter, les unes après les autres, les différentes tâches du quotidien. Chez certains enfants, il a également souligné que cette pratique risquait d'entraîner des difficultés d'apprentissage.

Le fonctionnement « multitâche » favorise la flexibilité du cerveau, et son entraînement, ce qui peut être un atout dans certaines tâches, mais entrave le développement de la persévérance : commencer une tâche et aller jusqu'au bout. Or, la persévérance est un des piliers essentiels de l'apprentissage et du travail en général. On termine ce que l'on a commencé ! Sauf le pudding de Tata Jeanine s'il n'est pas bon.

Cas pratique : Benjamin, 13 ans

Benjamin, 13 ans, pense qu'il peut facilement faire plusieurs choses en même temps : « Moi, je peux faire les exercices de maths, tout en regardant les nouvelles des copains sur Facebook et en jouant à Paf le chien parce que ça me détend. » Or, les bons résultats ne sont pas au rendez-vous pour Benjamin.

D'où vient, à Benjamin, l'impression qu'il peut faire plusieurs choses en même temps ? La réponse vient certainement de l'idée que « je fais des choses qui me font plaisir mais je travaille en même temps ».

L'effort est dilué au milieu d'activités plus sympathiques, ce qui donne bonne conscience et l'illusion de bien travailler en s'appuyant sur la croyance que l'on peut faire plusieurs choses à la fois. Le « c'est bon, je gère » est censé rassurer l'inquiétude des parents, quoique, et le « tout le monde fait comme ça » finalise la démonstration. Sans compter ceux qui ajoutent des « ça m'aide à me concentrer » que nous entendons très souvent.

En effet, certains enfants ou certains adultes peuvent éprouver le besoin d'avoir une source extérieure (musique, télévision en bruit de fond) qui leur permet de mieux se concentrer sur la tâche à accomplir. Si tant est que la tâche à effectuer ne demande pas de mémorisation, mais aussi que la source extérieure ne demande pas au cerveau un traitement particulier, en brouhaha de fond, pourquoi pas. Donc, OK pour le temps des exercices, mais pas pour la mémorisation des leçons.

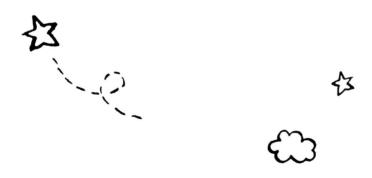

Astuce

Il existe des musiques qui favorisent la concentration au travail. Parmi les précurseurs, mais ils n'étaient pas au courant à l'époque, les concertos de J.-S. Bach, construits sur une structure algorithmique, sont très aidants pour la concentration. Les morceaux de W. A. Mozart sont, eux, un vrai booster de créativité. Il existe aussi les CD de Steven Halpern, intitulés *Music for Accelerating Learning*, qui, mis en musique de fond, mobilisent nos capacités cognitives.

Mythe n° 6 : Je n'ai pas de mémoire...

Que l'on soit petit ou grand, les croyances sur la mémoire sont nombreuses. Mémoire de poisson rouge, mémoire d'éléphant, mémoire sélective, mémoire à trous… toutes ces croyances relèvent d'un manque d'informations sur le fonctionnement réel du cerveau. Explorons deux mythes éternels.

✶ Mémoire de poisson rouge ou mémoire d'éléphant ?

Aaron, élève de CM2, se compare à Dori, petit poisson sans mémoire, du dessin animé *Nemo*. D'ailleurs, ne dit-on pas avoir une mémoire de poisson rouge ? Il est persuadé qu'il est incapable de se souvenir de ses leçons, voire de la consigne de l'enseignant, alors qu'il a l'impression de faire des efforts pour apprendre.

Comme de nombreux enfants, et adultes d'ailleurs, nous observons une méconnaissance du fonctionnement du processus de mémorisation qui conduit à des croyances limitantes. Or, à moins qu'il y ait des troubles importants ayant entraîné des lésions irréversibles, chacun peut apprendre à mobiliser sa mémoire et même la développer au-delà de toute attente. « Vers l'univers et au-delà », comme le dit notre copain Buzz l'Éclair !

Même les enfants présentant des troubles dyslexiques, qui ont souvent des difficultés de mémoire de travail, peuvent être très bien rééduqués dans le cadre d'une prise en charge en orthophonie.

De l'autre côté, il existe les champions de la mémoire qui clament haut et fort qu'ils ont « une mémoire d'éléphant ». Les « c'est bon, j'ai pas besoin d'apprendre, j'ai tout écouté et j'ai tout retenu de ce qu'a dit le prof ! ». Quelle belle illusion !

Les petits innocents ne savent pas qu'ils n'ont utilisé que leur mémoire de travail, très performante, mais que s'ils ne font rien de plus, les informations disparaîtront peu à peu pour laisser de la place à d'autres plus récentes.

Nous verrons au chapitre 8 sur le Mind Mapping comment fonctionne notre mémoire et comment recevoir le triple A de la mémoire (voir page 137).

★ Le mystère de la mémoire sélective

Quand nous demandons à nos patients s'ils pensent avoir une bonne mémoire, la réponse est invariablement : « ça dépend pour quoi. » Et ils ont raison ! Mais ce n'est pas une fatalité.

En effet, le processus de mémorisation dépend de plusieurs facteurs :

- ❏ l'intérêt,
- ❏ la motivation,
- ❏ le projet de mémorisation,
- ❏ le niveau de difficulté,
- ❏ l'état physique et émotionnel.

Notre mémoire peut donc facilement être mobilisée si l'on prend en compte ces différents facteurs.

Par exemple, si je me dis que je déteste l'histoire-géo, il y a de fortes chances que je ne sois pas motivé pour apprendre la leçon puisque je n'y ai pas d'intérêt. En revanche, si je déplace mon projet de mémorisation sur l'objectif de pouvoir récupérer les connaissances le jour du contrôle par exemple, alors je vais pouvoir mobiliser ma mémoire. Que l'objectif soit d'avoir une bonne note, de rassurer mes parents, d'avoir l'autorisation de sortir ou de passer dans la classe supérieure, etc., cela importe peu. L'adage « la fin justifie les moyens » prend une connotation positive dans ce cas-là.

En conclusion, sachons reconnaître les mythes qui nous empoisonnent la vie et bloquent notre confiance dans notre capacité d'apprendre ! Et continuons à cheminer dans le livre fort intéressant que vous avez entre les mains pour découvrir comment apprendre autrement avec la Pédagogie positive®.

APPRENDRE C'EST... ?

> • Apprendre, c'est découvrir.
> • Apprendre, c'est apprendre à vivre avec les autres.
> • Apprendre autrement avec la Pédagogie positive®, c'est apprendre avec sa tête, son cœur et son corps.

Quand on demande aux enfants ce que signifie apprendre, les réponses varient selon l'âge. Les enfants en âge primaire répondent en général : « c'est apprendre par cœur », c'est-à-dire mémoriser. Au collège, ils répondent plutôt « apprendre, c'est long ! » dans un profond soupir qui traduit bien leur longue expérience de terrain. Les lycéens, quant à eux, lancent un « c'est chiant ! » qui coupe court à toute réflexion sur le sujet.

Si l'on pose la même question à leurs parents, la réponse diffère grandement par un « c'est merveilleux ! », « c'est important pour ton avenir ! » et autres considérations parentalement correctes qui prouvent qu'ils ont oublié (ou font semblant d'oublier) qu'ils ont dit la même chose que leurs chers bambins aux mêmes âges. Mais on leur pardonne ; leurs enfants, pas sûr !

Apprendre, c'est découvrir

Oui, mais découvrir quoi ?

À l'école, c'est découvrir des savoirs académiques, des contenus, des savoir-faire qui ont pour objectif l'acquisition d'un socle commun de connaissances et de compétences qui feront l'objet d'évaluations constantes. Le livret de compétences et de connaissances sanctionne d'ailleurs le processus de découverte (dans l'idéal… car en pratique, tout ceci est souvent source de stress pour les enseignants, pour les parents et pour les enfants !).

Quid du plaisir d'apprendre ? De la curiosité ? De l'appétit ? Des autres apprentissages ? Car apprendre, c'est aussi apprendre la vie.

Ken Robinson* explique que notre système éducatif est fondé sur la notion d'aptitude académique. La raison en est que ce système a été inventé à une époque où il n'y avait pas d'enseignement public et où l'urgence était de satisfaire aux besoins d'industrialisation. Ce système repose donc sur deux principes : l'utilité (productive) dans le travail et la capacité à répondre aux exigences académiques (créées par les universitaires à leur image). À l'instar du monde entier, en France, les matières scientifiques arrivent en tête, puis le français, l'histoire-géographie et les langues et, en bons derniers, les Arts et le sport. Ce qui signifie donc qu'il existe une hiérarchie dans les apprentissages.

Et c'est ainsi que, la plupart du temps, seuls les élèves qui réussissent dans les matières dites « nobles » sont valorisés car leurs compétences leur seront utiles pour trouver un travail.

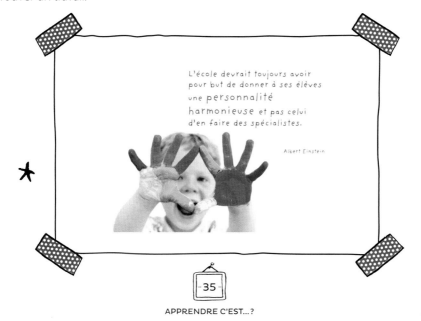

L'école devrait toujours avoir pour but de donner à ses élèves une personnalité harmonieuse et pas celui d'en faire des spécialistes.

Albert Einstein

A contrario, les élèves particulièrement doués en musique, en dessin et/ou en sports seront découragés d'exploiter leurs talents car, c'est bien connu, « tu ne vas pas être le prochain Picasso ! ».

La conséquence pernicieuse de ce système est que les enfants, comme le rappelle Ken Robinson, se vivent en échec dès lors qu'ils ne répondent pas aux attentes « académiques ».

Beaucoup de gens talentueux, brillants, créatifs, pensent qu'ils ne le sont pas car les matières où ils étaient bons à l'école n'étaient pas valorisées. Apprendre, c'est aussi apprendre qui l'on est. Avoir une vue juste de ses qualités, de ses défauts, de ses capacités, de ses talents et de ses goûts.

Si nous reprenons l'exemple de Ludo, ses goûts le portent vers le Street Art et ses compétences sont déjà avérées. Il ne s'agit pas là d'une lubie puisqu'il le pratique tous les jours et qu'il a développé de l'expérience en la matière. Pourquoi vouloir alors étouffer son potentiel au nom d'une pression sociale ? Est-ce que la mère de Pablo Picasso lui a dit un jour : « Range tes dessins, c'est moche, ça ressemble à rien, c'est pas comme ça que tu vas gagner ta vie ! » Nous n'en savons rien…

Ludo, 14 ans

Ludo vient en consultation, à sa demande, car il dit ne pas être satisfait de ses résultats scolaires. Il termine sa troisième avec une moyenne générale de 12.8 sur 20. À notre « Waouh ! formidable ! » d'encouragement, le jeune homme répond : « Bah non, c'est pas terrible. Ce sont mes notes de sport et d'arts plastiques qui remontent ma moyenne. Sinon j'ai 8 en maths ! C'est pas grâce au dessin que je vais avoir le bac. » Quand nous lui demandons ce qu'il aimerait faire plus tard, Ludo se referme et n'ose pas répondre. Nous insistons un peu et la réponse est édifiante : « Dans l'absolu, je rêverais d'être artiste dans le Street Art mais les profs m'ont dit qu'il valait mieux que j'oublie car il n'y a pas de débouchés dans ce domaine. De toute façon, ils ont raison, je ne peux pas tout miser sur le dessin car si je me plante, je n'aurai rien comme vrai travail. »

Apprendre qui l'on est, c'est pouvoir gagner assez de confiance en soi pour oser entreprendre, tenter, essayer, prendre des risques. Ce qui ne veut pas dire être téméraire et foncer tête baissée dans n'importe quelle direction au gré de ses envies.

Pour autant, la période de l'enfance (et de l'adolescence) est celle où l'on peut le plus expérimenter, se tromper, avoir le droit de changer d'avis, apprendre de ses erreurs avant de faire des choix « définitifs » (sachant que ça n'est jamais définitif). Combien d'entre vous, chers lecteurs, font le métier que vous vouliez faire lorsque vous étiez enfant ? Père Noël-pompier, princesse, banquier-mécanicien, maîtresse d'école, marchande de glaces, docteur des animaux, mari de Rihanna, éleveur de triops… (Nous précisons que chacun des exemples est véridique ! Mention spéciale pour « mari de Rihanna ».)

Si l'on accepte les rêves de son enfant, sans les casser dans l'œuf, on lui témoigne une confiance illimitée et, surtout, on lui offre la possibilité d'oser penser un projet aussi irréaliste soit-il. Sachant qu'à six ans, il ne peut penser son projet que par le prisme de son environnement, qu'avec ce qu'il a sous les yeux et dans la tête ; le champ des possibles lui est alors grand ouvert.

« Les enfants sont comme les marins : où se portent leurs yeux, partout c'est l'immense ».

Christian Bobin

Trop souvent nos peurs de parents (voire notre réalisme désillusionné) viennent envahir les rêves de notre enfant, et nous conduisent à lui imposer le projet que nous nourrissons inconsciemment pour lui.

Apprendre, c'est vivre avec les autres

Apprendre, c'est aussi apprendre à interagir avec les autres en société ; c'est respecter l'ordre social pour garantir la sécurité physique et affective de tous. C'est donc apprendre les règles de vie qui en découlent.

Contrairement aux discours ambiants et aux débats actuels, cet apprentissage ne se résume pas à la famille et à la sphère privée de l'enfant.

C'est à l'école que l'enfant va être le plus souvent, et le plus longtemps, confronté à cet apprentissage. Apprendre à vivre avec les autres, apprendre des autres, développer sa capacité à se mettre en lien et communiquer, même avec ceux qui ne nous sont pas immédiatement sympathiques. Ce n'est pas un apprentissage facile, c'est même, selon nous, le plus difficile.

Lorsque nous recevons au cabinet des enfants qui demandent « A quoi ça sert l'école ? Je préfère rester chez moi, je peux apprendre sur Internet, à la télé ou avec maman », nous mettons toujours l'accent sur la fonction sociale de l'école, comme lieu d'apprentissage des règles de vie en société. C'est à l'école que je vais jouer, répéter, m'entraîner à devenir l'être social qui plus tard travaillera et participera à la vie collective.

À la crèche, et même encore à la maternelle, l'accent est mis sur la socialisation car il n'y a pas encore, ou pas encore trop, d'enjeu sur les apprentissages académiques. Dès que l'enfant approche du CP, l'on bascule alors la priorité sur les apprentissages plus scolaires et les fameux « savoir-faire » car les savoir-vivre ensemble, même s'ils sont encore présents sur le papier, sont censés être acquis.

Nous sommes malheureusement souvent témoins de la défaillance du système scolaire concernant cette dimension. À la décharge des enseignants, il semble que

38

l'organisation du travail au sein de l'Éducation nationale n'ait pas pensé les temps de pause et de récréation comme faisant partie intégrante d'un apprentissage social. Nos patients enseignants sont d'ailleurs les premiers à souffrir de ne pas pouvoir penser et trouver d'autres alternatives. Ce qui aboutit à un cercle vicieux où les enfants sont souvent renvoyés à eux-mêmes pour régler les conflits inter-personnels (« la maîtresse a dit qu'on doit se débrouiller tout seuls »), ou punis sans en tirer une vertu pédagogique. Comme si l'on apprenait sur le tas !

Nous sommes aussi témoins d'interprétations psychologisantes hâtives (oserions-nous dire du café du commerce) qui rejettent la faute sur les parents défaillants qui ne savent pas éduquer leurs enfants. Ces propos engendrent de la culpabilité chez les parents. Les fragilités, les résistances et les erreurs qui devraient être consti-tutives d'un apprentissage normal deviennent alors des problèmes qui viennent bloquer le processus d'un apprentissage qui est en train de se faire et ne devrait se terminer, normalement, qu'à l'âge adulte.

À quand des cours de communication, de savoir-vivre ensemble qui remplace-raient des cours de morale, trop normatifs et peu incarnés ?

Quand les enseignants affirment qu'ils ne sont pas là pour faire de l'éducation, ils se trompent de terme.

Revenons un instant sur la signification du mot pédagogie (du grec signifiant « direction » ou « éducation des enfants ») qui désigne l'art d'éduquer. Le terme rassemble les méthodes et pratiques d'enseignement et d'éducation, ainsi que toutes les qualités requises pour transmettre une connaissance, un savoir ou un savoir-faire.

Apprendre, c'est apprendre avec sa tête

« Apprendre avec sa tête », ça fait moins peur que de dire « cognitif ».

On ne peut pas parler de Pédagogie positive® sans rendre grâce aux pionniers qui nous ont précédées et qui nous inspirent. Maria Montessori* et sa méthode d'éducation ouverte, Rudolf Steiner* pour son approche équilibrant les matières intellectuelles avec les matières artistiques et manuelles, et également Antoine de La Garanderie* et sa vision humaniste de l'éducation.

Lorsque nous parlons d'apprendre avec sa tête, nous privilégions les apports de la gestion mentale d'Antoine de La Garanderie*, d'abord parce que nous y sommes formées et surtout parce que nous considérons que son approche humaniste accompagne l'enfant dans une découverte de lui-même, lui permet de prendre conscience de ses ressources cognitives, ressources qu'il pourra s'approprier et réutiliser sur le chemin de SA réussite.

Antoine de La Garanderie a mis en lumière cinq gestes fondamentaux dans l'acte d'apprendre. Ces cinq gestes fondamentaux, s'ils sont mis en place au moment même de l'apprentissage, permettront à l'enfant de mieux réussir ce qu'il entreprend.

❑ Le **geste d'attention** consiste à se mettre en projet de faire exister dans sa tête, on dit aussi évoquer, ce qui va être perçu par l'un ou l'autre de nos cinq sens. Le geste d'attention se déroule en présence de ce qui est perçu, contrairement au geste de mémorisation qui consiste à rappeler le souvenir pour l'utiliser dans un futur. Un « sois attentif » ne sert à rien s'il n'y a pas de projet derrière. L'on ne peut être attentif pour rien. On peut donc mobiliser l'attention de son enfant en lui disant, par exemple, « regarde ce que je vais te montrer, écoute ce que je vais te dire, goûte cela pour me dire… ». Cette attention des cinq sens nécessaire à une bonne mémorisation et compréhension peut être entraînée de manière ludique.

☐ Le **geste de mémorisation** consiste à faire revenir ses évocations dans le but de les restituer d'une manière précise. Je mémorise pour un projet précis à court, moyen ou long terme. Par exemple, je mémorise les mots invariables pour les savoir toujours. Je mémorise le code d'un immeuble pour pouvoir le refaire lorsque je devrai entrer dans l'immeuble.

☐ Le **geste de compréhension** consiste à faire un aller-retour permanent entre ce que je perçois et ce que j'évoque pour y trouver du sens. Je comprends lorsque je peux comparer ce que je sais déjà et ce que je perçois de nouveau. Comprendre, c'est prendre pour soi en redisant avec ses propres mots, ou en dessinant ce que l'on comprend. C'est assimiler et transformer à sa façon. Si votre enfant dit qu'il ne comprend pas, ne vous précipitez pas pour lui fournir une explication, mais demandez-lui plutôt ce qu'il a compris. C'est à partir de ses explications que vous pourrez ajouter, compléter, modifier ce qui a été compris.

☐ Le **geste de réflexion** ne peut être réalisé que si les gestes d'attention, de mémorisation et de compréhension ont été effectués. Il consiste à aller piocher dans ses connaissances, les notions, la règle, la loi, la théorie ou le théorème qui va me servir à penser la tâche que je dois effectuer. Je suis à l'aise pour réfléchir lorsque j'ai dans la tête tout ce dont j'ai besoin. Il est toujours nécessaire d'inviter son enfant à prendre le temps de réfléchir avant qu'il ne se précipite dans le « faire ». Par exemple « lis l'énoncé et prends le temps de réfléchir à ce dont tu as besoin pour réaliser la consigne ».

☐ Le **geste d'imagination** consiste à imaginer, en partant de ce que je connais, des domaines cachés dont j'ai l'intuition. Je dois alors aller découvrir ou inventer de nouvelles pistes. Je vais donc devoir me projeter dans le futur pour imaginer. Beaucoup d'enfants pensent que l'imagination tombe par miracle dans leur tête (j'en ai ou j'en n'ai pas) et ne pensent pas, ou refusent parfois, à utiliser ce qu'ils savent pour imaginer.

APPRENDRE C'EST... ?

Antoine de la Garanderie et la pédagogie de la réussite

Antoine de la Garanderie, philosophe et pédagogue, a théorisé une pédagogie d'apprentissage des gestes mentaux. Il s'est intéressé à la manière dont les élèves réussissent pour comprendre les chemins pris par chacun pour réfléchir. Il a souvent comparé le travail pour réussir les actes d'apprentissage avec ceux, physiques, d'un sportif ou d'un musicien. Son credo : « chaque enfant possède les chances de sa réussite scolaire. »

Il disait : « Les gestes mentaux, comme ceux du violoniste, du joueur de tennis, de l'ébéniste, du sculpteur, doivent obéir à des structures de bon accomplissement. Ces structures existent. On peut les décrire. Pour cela, il faut reconnaître qu'il y a une vie mentale qu'on peut observer du dedans. Sitôt ce principe de reconnaissance admis, on s'aperçoit qu'en effet les gestes mentaux se découvrent. Mieux : on se rend compte qu'il y a une bonne façon de les exécuter pour réussir dans les tâches que l'école prescrit. Disons-le, on ne saurait trop le répéter : les élèves sont obligés de tâtonner pour bien gérer mentalement leur attention, leur réflexion, leur mémorisation. Certains, à force de tâtonner, finissent par renoncer en désespoir de cause. Ne serait-il pas plus efficace de faire de l'école le lieu où l'on enseigne la pratique de ces gestes mentaux qui sont la condition nécessaire à l'adaptation scolaire ? Oui, l'école serait l'atelier d'apprentissage des gestes mentaux. »

Source : http://www.garanderie.com/

Apprendre, c'est apprendre avec son cœur

Contrairement à l'idée communément partagée, avoir un gros cerveau bien rempli ne suffit pas pour apprendre. On ne peut pas faire l'économie d'une approche sensible dans l'acte d'apprendre. Apprendre, c'est donc aussi apprendre avec tout son être sensible.

Notre être sensible est piloté par notre histoire personnelle, par nos croyances et celles de nos parents (voire de nos aïeux), et par notre environnement. Il conditionne activement la manière dont nous allons nous approprier le monde.

Les réussites, les appréhensions, les difficultés sont le produit de tout ce ressenti émotionnel et psychique qui doit être pris en compte dès lors que nous accompagnons un enfant sur le chemin de l'apprentissage. Par exemple, nous rencontrons souvent des enfants bloqués dans l'apprentissage de la lecture à cause d'émotions limitantes telle que la peur de se tromper ou la peur de grandir.

Apprendre, c'est apprendre avec tout son corps

Il est surprenant de voir combien la question du corps est peu pensée dans l'apprentissage. Euphémisme !

Peter Gumbel*, auteur de l'excellent essai *On achève bien les écoliers*, souligne que « l'idée que poser le cul sur une chaise à des enfants ou adolescents pendant des heures et des heures chaque semaine les rend mieux formés est une connerie prodigieuse ». Phrase à laquelle nous adhérons à 100 %, y compris dans le ton employé.

Notre corps n'est pas simplement le taxi de notre cerveau. Lorsque nous prenons soin de ses besoins et que nous connaissons quelques astuces pour l'aider au mieux, il devient un partenaire privilégié et complice des apprentissages. Une bonne nuit de sommeil, un bon petit déjeuner et un petit câlin seront des aides précieuses avant de partir à l'école pour le contrôle de maths.

Nous allons maintenant découvrir comment prendre en compte tous les éléments en œuvre dans l'acte d'apprendre et que nous avons choisi de nommer l'approche « Tête, Cœur, Corps ».

illustration filf

Deuxième partie

APPRENDRE AVEC L'APPROCHE TÊTE, CŒUR, CORPS

PRÉPARER SA TÊTE
À TRAVAILLER

- Apprendre, oui mais comment ?
- Découvrir son fonctionnement d'apprentissage et celui de son enfant.
- Découvrir les différents profils d'apprentissage.
- Développer l'attention et la concentration.
- Faire de la place dans sa tête et se mettre en mode projet.
- Créer et installer des routines.

Nous sommes toujours surprises de constater qu'à l'école ou à la maison, on demande aux enfants d'apprendre sans toujours leur expliquer comment le mettre en œuvre. Apprendre semble être un verbe qui n'est pensé qu'au niveau de la tête, alors que nous pensons qu'apprendre c'est agir et ressentir avec tout son être.

Apprendre, oui, mais comment ?

Chacun d'entre nous « attrape » le monde qui l'environne grâce à ses cinq sens, mais personne ne traite les informations qu'il reçoit de la même manière.

La première étape consiste donc à découvrir quelles sont nos préférences de fonctionnement dans l'apprentissage. Ce qui nous est facile, ce qui nous l'est moins. Vous pourrez comprendre que ce qui se passe dans votre tête lorsque vous apprenez, ne se passe pas forcément de la même manière dans la tête de votre enfant.

Grâce à cela, vous saurez comment accompagner efficacement votre enfant sur le temps des devoirs, et vous pourrez vous allonger tranquillement dans une chaise longue en sirotant un brandy ou ce que vous voulez d'ailleurs.

Démarrons maintenant notre « voyage au centre de la tête » pour paraphraser Jules, par une mise en pratique. Faites les exercices pour vous-même, puis faites-les faire à vos enfants.

C'est parti !

Premier exercice sur vos préférences évocatives

Lisez le mot « chocolat » et prenez quelques instants pour observer ce qui se passe dans votre tête. Que se passe-t-il alors ?

☐ Je vois le mot chocolat.

☐ Je le revois qui s'inscrit comme sur un tableau ?

☐ Je vois une tablette de chocolat :

    – au lait ? noir ? qui flotte dans l'air ?

☐ J'ai le goût du chocolat :

    – mes papilles gustatives frétillent ?

☐ J'ai l'odeur du chocolat :

    – qui titille mes narines ?

☐ J'ai la sensation du croquant dans la bouche ?

☐ Je pense

    – au gâteau au chocolat de ma grand-mère ?

    – que j'ai envie d'en manger ?

☐ Je répète le mot ?

☐ Je me dis que :

    – je ne peux pas en manger car je suis au régime ?

    – le gâteau que j'ai mangé hier était succulent ?

☐ Autre ?.............................

Pour refaire l'exercice avec votre enfant, écrivez le mot « chocolat » sur un papier. Donnez la consigne suivante : « Je te propose un petit jeu. Je vais te montrer un mot que tu connais, je vais te laisser le lire, puis te le dire et tu vas prendre quelques instants, sans parler, pour observer ce qui se passe dans ta tête. Après, je te poserai quelques questions, d'accord ? »

Reprenez les questions du dessus auxquelles vous avez vous-même répondu et posez-les à votre enfant.

Vous avez bien travaillé, vous pouvez aller manger un p'tit carré de chocolat.

On continue !

Deuxième exercice sur vos préférences évocatives

Vous allez dire maintenant tout haut le mot « énergie » et prendre quelques instants pour observer ce qui se passe dans votre tête.

☐ J'entends le mot « énergie » et...

☐ Je vois :
   – le logo EDF ?
   – une ampoule électrique ?

☐ Je revois le mot qui s'inscrit comme sur un tableau ?

☐ J'ai le goût de la boisson au taureau rouge (celle dont on ne peut pas écrire le nom pour ne pas faire de publicité dissimulée) ?

☐ J'ai une sensation :
   – de chaleur ?
   – de mouvement ?
   – d'énergie qui monte dans le corps ?

☐ Je pense :
   – à la course que j'ai faite la semaine dernière ?

☐ Je répète le mot ?

☐ Je me dis que :
   – l'énergie c'est essentiel pour travailler ?

☐ Autre ?

Pour refaire l'exercice avec votre enfant, donnez-lui la consigne suivante : « Je vais te dire maintenant un mot que tu connais et tu vas prendre quelques instants, sans parler, pour observer ce qui se passe dans ta tête. Après, je te poserai quelques questions, d'accord ? » Puis dites le mot « énergie » distinctement. Pour les enfants plus jeunes, choisir un mot plus simple comme « vitesse ».

Là encore, reprenez les questions du dessus auxquelles vous avez vous-même répondu et posez-les à votre enfant.

C'est bien ! Vous avez bien travaillé, vous pouvez maintenant aller prendre une boisson énergétique, dont nous tairons le nom… Mais non, on rigole ! On continue.

Si vous considérez les différentes réponses faites dans les deux exercices précédents, vous allez voir que vous aurez mis en action davantage votre vue, votre ouïe ou votre odorat. Ceci peut vous fournir une première information sur vos préférences évocatives. Préférences visuelles si vous avez plus d'images sous forme de film ou de photos, préférences verbales si vous parlez dans votre tête et préférences kinésthésiques si vous avez un ressenti sensoriel, et enfin préférences mixtes si vous constatez que vous parlez sur des images ou que vous avez des évocations kinésthésiques en plus de l'image ou de la parole.

Ainsi, que l'entrée soit par l'œil, l'oreille ou par un des autres sens, odorat par exemple, on observe que les possibilités d'évocation (voir page 56) sont multiples :

- ☐ en fonction de chacun,
- ☐ en fonction de l'entrée pour une même personne.

Il est important de vérifier ce qui se passe dans votre tête lorsque vous apprenez quelque chose, et ce qui se passe dans celle de votre enfant quand vous l'accompagnez dans ses apprentissages.

APPRENDRE AVEC LA PÉDAGOGIE POSITIVE

Dès lors, il est impossible de dire : « mais si, c'est facile, tu vois ? », ou bien « c'est simple ! Répète plusieurs fois », ou encore « recopie le texte plusieurs fois, tu vas l'imprimer dans ta tête », car nos « bonnes recettes » risquent de n'être des bonnes recettes que pour nous-mêmes.

C'est reparti ! Tentons un troisième exercice.

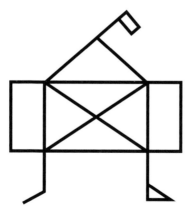

Troisième exercice sur vos préférences évocatives

Vous allez découvrir le dessin d'une figure que nous vous demandons de bien observer afin de le mémoriser en trente secondes. Puis vous retournerez le livre pour ne plus le voir. Essayez de reproduire le dessin de tête.

Conseil : ne copiez pas sur votre voisin, quel que soit son âge et faites-vous confiance.

Tout d'abord, toujours dessin caché, posez-vous les questions suivantes :

1. Comment avez-vous fait pour mémoriser ?

☐ J'ai photographié l'image.

☐ Je me suis dit que :

   – c'était une maison avec des pieds, une enveloppe, un triangle sur un rectangle, etc.,

   – c'était un poussin carré,

☐ Ça m'a fait penser au jeu où il ne fallait pas lever le crayon, etc.

2. Comment avez-vous fait pour le reproduire ?

☐ J'ai revu l'image dans ma tête et je l'ai refaite.

☐ Je me suis redit que c'était :

   – une maison,

   – une enveloppe,

   – un ensemble de formes géométriques.

☐ Je l'ai refait au fur et à mesure en me redisant les étapes.

Regardez à nouveau le dessin et comparez-le avec votre dessin. Observez ce qui a pu vous manquer, ce que vous avez modifié, etc.

Faites alors refaire ce dessin à votre enfant et posez-lui les mêmes questions que ci-dessus.

En comparant votre dessin et celui de votre enfant, on peut facilement en conclure que nous n'avons pas les mêmes stratégies de mémorisation. CQFD !

En effet, il existe un décalage de perception. Ce qui se passe dans votre tête n'est pas forcément la même chose qui se passe dans la tête de votre enfant. Ce qui fonctionne pour vous ne fonctionne pas forcément pour vos enfants.

Alors faites à nouveau attention à vos bonnes recettes… Et tentez d'arrêter les « je ne comprends pas pourquoi il ne comprend pas ! ».

Les différents profils d'apprentissage

Il existe différents profils d'apprentissage : visuel, auditif ou verbal et kinesthésique. Ces profils ont été observés et théorisés par Antoine de la Garanderie* :

☐ **Profil visuel :** je vois des images dans ma tête comme des photos ou comme un film.

☐ **Profil auditif ou verbal :** je réentends des sons ou des paroles avec la voix des autres (très pratique pour apprendre une langue étrangère) ou je me parle dans ma tête.

☐ **Profil kinesthésique :** je ressens les mouvements, les sensations, les odeurs, les goûts…

Certains d'entre nous ont des préférences de modes d'évocation (on parle aussi de langues pédagogiques) qui vont déterminer notre profil d'apprentissage.

Nous n'avons pas un seul et unique mode d'évocation. En fonction de la tâche que nous effectuons, nous mixons parfois plusieurs modes d'évocation. Les élèves qui réussissent brillamment sont d'ailleurs ceux qui parviennent à « jouer » sur plusieurs gammes d'évocations en fonction de l'objectif.

L'idée n'est pas de faire de vous des spécialistes de la gestion mentale, vous avez certainement un tas d'autres activités sur le gril. Toutefois, une prise de conscience de votre propre fonctionnement et de celui de votre enfant peut vous permettre de vous adresser à lui dans un mode qu'il comprend. Si l'approche de la gestion mentale vous intéresse, vous pouvez toujours demander une consultation auprès d'un professionnel certifié.

Par ailleurs, l'idée essentielle est de pouvoir augmenter la palette de tout ce qui se passe dans la tête (que l'on appelle « palette évocative »).

La carte qui suit page 55 permet de comprendre la manière dont nous évoquons :

☐ La première branche **rouge**, en haut à droite, nous permet de comprendre ce que nous évoquons dans notre tête. C'est ce qu'Antoine de la Garanderie

PRÉPARER SA TÊTE À TRAVAILLER

a appelé « les paramètres d'évocation ». Nous pouvons évoquer des choses concrètes, des objets ou des êtres vivants (par exemple la tablette de chocolat en tant que telle). Nous pouvons aussi évoquer en codes ou en symboles (le mot chocolat apparaît devant mes yeux ou je dis cho-co-lat). Nous pouvons évoquer également en liens logiques (par exemple, je pense que le chocolat fait partie des glucides), ou en liens inédits (je pense à un centre de bien-être et à un bon massage détente car j'ai entendu dire que certains utilisaient le chocolat et je m'imagine couvert de chocolat me léchant les babines).

❑ Sur la deuxième branche, la orange, nous revoyons, comme précédemment, la manière dont nous évoquons : en paroles, en sons, en images ou en ressentis.

❑ Sur la troisième branche, la verte, nous pouvons identifier la manière dont nous évoquons dans l'espace, c'est-à-dire de manière synthétique et globale (l'image dans son ensemble, le mot en entier par exemple), ou dans le temps, c'est-à-dire de manière séquentielle et analytique (je découpe le mot en le disant cho-co-lat ou je l'écris lettre après lettre par exemple).

❑ Enfin, la quatrième branche, la bleue, nous permet de répondre à la question « qui évoque ? ». Lorsque nous évoquons visuellement « en première personne », cela signifie que nous nous voyons sur nos images ou que nous voyons ce que nous faisons. Lorsque nous évoquons de manière auditive « en première personne », cela signifie que nous entendons notre propre voix qui parle ou qui fait un commentaire. Lorsque nous évoquons visuellement « en troisième personne », nous voyons des images extérieures à nous-même : un tableau, la maîtresse… Enfin, lorsque nous évoquons auditivement « en troisième personne », nous entendons la voix d'un autre et/ou des bruits ambiants.

Ces quatre branches peuvent servir de base à la manière de questionner votre enfant pour comprendre sa manière d'évoquer.

La manière d'utiliser notre palette évocative n'est pas consciente au début. En effet, certains apprentissages vont être plus faciles que d'autres en fonction de son profil dominant et de notre « navigation » naturelle dans notre palette. Sans qu'on y pense, ça marche tout seul, sans qu'on en ait conscience. Pour certains enfants,

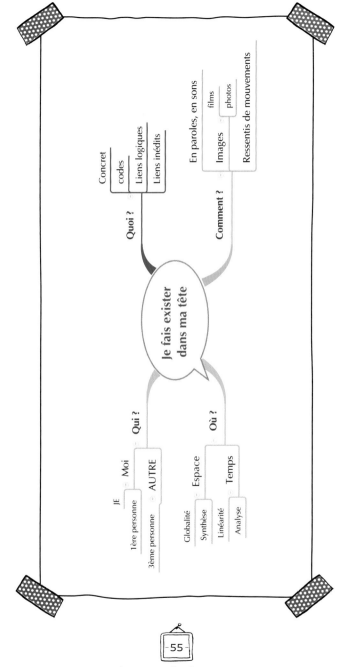

c'est presque magique. On les entend souvent nous dire : « j'ai même pas réfléchi » ou « c'est facile, ça me vient comme ça ».

Néanmoins, les choses se compliquent quand cela ne vient pas naturellement, et qu'on a l'impression de ne pas y arriver.

Plus on diversifie les manières de faire exister dans sa tête (la fameuse « palette évocative »), plus on augmente ses chances de prendre la bonne route pour réfléchir, mémoriser, comprendre…

Ainsi il est important que vous appreniez à parler la langue d'apprentissage de votre enfant.

Dès lors, si vous voulez aider votre enfant, vous devez tenir compte de son mode d'évocation, de sa « langue d'apprentissage », et l'aider à formuler à sa façon ce qui se passe dans sa tête. Vous allez ainsi découvrir le génie et la magie de nos cerveaux. Et surtout la logique qui se cache derrière chacune de nos actions.

Le jeu du cinéma

Petit jeu pour utiliser toute sa palette évocative, que nous appelons le jeu du cinéma.

Demandez à votre enfant de fermer les yeux et invitez-le à se faire un petit film mental…

Vous lui racontez une histoire, et c'est à lui de mentalement évoquer la scène en utilisant le plus de sensations : visuelle, auditive, olfactive, gustative et/ou tactile.

Après quelques respirations, laissez-lui venir des images derrière l'écran mental, une image chassant l'autre.

Par exemple : « Tu ouvres la porte de la maison et tu vois le chat qui vient vers toi. Il se frotte sur tes mollets et tu peux sentir la douceur de son pelage. Tu l'entends même qui ronronne comme un petit moteur… »

À vous d'inventer l'histoire à votre guise ☺.

Cas pratique : Garance en CE1

Garance revient avec un exercice de grammaire sur le genre et le nombre (traduction : relier des groupes de mots aux pronoms il/elle, ils/elles). Seuls trois mots sur six ont été correctement reliés.

À y regarder de plus près, je constate que les mots désignant un être vivant sont bien reliés (cousins, lézard, Lola). En revanche, « chemises déboutonnées » est relié à « ils », « vase rose » à « elle » et « église » à « il ».

Lorsque je lui demande : « comment as-tu fait pour trouver les bonnes réponses ? », elle me répond : « c'est facile ! Pour "il" je vois un garçon dans ma tête et pour "elle" je vois une fille. » « Bravo ! Ça a bien marché pour le lézard, les cousins et Lola. Mais pourquoi n'as-tu pas réussi pour les autres ? » « Bah, parce que j'ai rien vu. »

Cas pratique : Alice en 4ᵉ

Alice ne parvient pas à apprendre les pays et les capitales européennes qu'elle essaie vainement de photographier et de mémoriser sur une carte.

Quand on lui demande ce qui se passe dans sa tête, elle répond : « je n'y arrive pas, je ne vois rien. »

Si nous reprenons l'exemple de Garance…

Garance a relié facilement les groupes de mots qui évoquent un garçon ou une fille. Ce sont principalement les mots « animés ». En revanche, pas d'image pour les mots « sans vie ». Nous verrons plus loin l'astucieuse logique de ses erreurs.

Pour parler sa langue d'apprentissage et lui faire corriger ses erreurs, nous proposons à Garance le chemin qui suit. Nous lui demandons de faire apparaître dans sa tête un garçon et une fille. Nous lui demandons ensuite d'écrire « il » en dessous du garçon, et « elle » en dessous de la fille. Puis « un » et « une », « le » et « la » et enfin au milieu « l' ». Pour « église », on dit « le » ou « la » église ? Réponse de Garance : « bah, on dit l'église ». Remontons alors : on dit « un » ou « une » église ? Réponse : « Une église. Donc je le mets sous la fille. Alors église va avec elle. »

Garance a un profil visuel, il est bon de parler sa langue et de l'amener à visualiser des images dans sa tête pour trouver les solutions.

Si nous reprenons l'exemple d'Alice…

À partir de la carte et en déplaçant son doigt d'un pays à l'autre, nous proposons à Alice d'inventer une petite comptine à rimes : « Je suis en France… à Paris je mange du riz… Je descends en Espagne… à Madrid je n'ai pas de ride… Je vais à gauche au Portugal et à Lisbonne l'eau est très bonne… Je prends le bateau pour l'Angleterre… à Londres le tonnerre gronde, etc. »

Alice, qui a un profil auditif, saura mieux mémoriser sa carte si les éléments sont mis en rime, en musique.

Cas pratique : Romain en 6ᵉ

Romain doit apprendre les pays qui entourent le Bassin méditerranéen. Comme il n'y arrive pas, nous lui demandons ce qui se passe dans sa tête lorsque nous lui disons « Bassin méditerranéen ». Il répond : « je vois une bassine avec de l'eau. » Effectivement, le Bassin méditerranéen, c'est presque comme une bassine avec de l'eau dedans.

Nous l'invitons à imaginer qu'il dépose des étiquettes sur le bord de sa bassine avec le nom des pays inscrit dessus dans l'ordre de classement des pays « Espagne, France, Italie, etc. » afin de les faire exister dans sa tête et de les mémoriser.

Lors de l'évaluation en classe, Romain n'a plus qu'à faire réapparaître sa bassine.

PRÉPARER SA TÊTE À TRAVAILLER

Petites astuces mnémotechniques pour ceux qui entendent dans leur tête

En général, ceux qui ont l'image du mot écrit dans leur tête ont moins de difficultés sur l'orthographe lexicale des mots. En revanche, ceux qui ont besoin de les entendre, ou de les parler, rencontrent plus de difficultés à restituer fidèlement l'orthographe.

Voici une petite astuce qui pourra les aider : lire et se raconter une petite comptine :

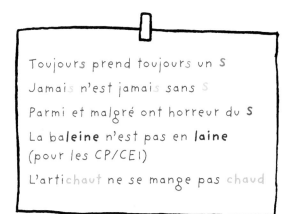

Toujours prend toujours un **S**

Jamais n'est jamais sans S

Parmi et malgré ont horreur du **S**

La ba**leine** n'est pas en **laine**

(pour les CP/CE1)

L'artichaut ne se mange pas chaud

Vous devez vérifier que ce qui se passe dans la tête de votre enfant est bien en lien avec ce qui doit être pensé.

Toute erreur est l'aboutissement d'une réflexion logique. Il n'y a pas d'erreur bête. Il n'y a que des erreurs intelligentes. Ces erreurs correspondent à une erreur d'aiguillage au départ.

Revenons à Garance. Pourquoi a-t-elle relié « vase rose » à « elle » et « chemises déboutonnées » à « ils » ? Réponse : « Bah, c'est facile ! Rose, c'est pour filles donc c'est "elle", et c'est papa qui porte des chemises donc c'est "il", mais comme il y en a plusieurs, j'ai mis "ils" ». Élémentaire ma chère Garance !

Vous devez ainsi éviter :

❑ les allants de soi : « bah, tu n'as qu'à l'écrire dans ta tête et le ranger dans un tiroir » ;

❑ les implicites : « c'est logique » ;

❑ les comparaisons : « si ton frère y arrive, tu peux y arriver. »

Nous expliquons souvent à nos petits patients que nous avons besoin d'une boîte à outils étoffée et variée si nous voulons augmenter nos chances d'atteindre nos objectifs. Si nous voulons revisser nos lunettes, nous devons piocher le bon outil dans notre boîte en fonction de l'objectif. Si ma préférence va toujours à la visseuse-dévisseuse dernier cri, que j'utilise sans faire d'effort, il se peut que mes lunettes ne survivent pas à la réparation alors qu'un petit tournevis d'électricien aurait bien mieux fait l'affaire. Plus j'ai d'outils à ma disposition, plus j'ai de chance d'arriver facilement à mon but. Il en est de même dans les apprentissages.

Je peux avoir une préférence visuelle, il me faudra parfois utiliser, ou du moins apprendre à développer mes évocations auditives si je veux apprendre à parler une langue étrangère.

Si notre préférence A n'est pas suffisamment adaptée à un objectif précis, nous pouvons essayer d'utiliser les autres canaux d'apprentissage.

Même si vous respectez la préférence de votre enfant, vous devez pouvoir l'accompagner pour élargir ses possibilités évocatives. Travailler avec l'ensemble de son cerveau, c'est toujours beaucoup mieux.

Développer l'attention et la concentration

Si votre plan A ne marche pas, restez zen ! Il reste encore 25 autres lettres dans l'alphabet.

L'attention et la concentration sont fondamentales pour bien apprendre mais répondent à un fonctionnement neurophysiologique précis. Elles sont traitées par deux zones différentes du cerveau, et antagonistes, et ne peuvent dès lors pas être activées en même temps. L'enjeu est de favoriser le passage de l'une à l'autre facilement en fonction des besoins.

Mais pour commencer, il ne faut pas confondre attention et concentration

L'attention, c'est la capacité que nous avons à nous ouvrir à la réalité. Grâce à elle, nous captons, par nos cinq sens, les différentes informations en provenance soit de notre environnement, soit de notre ressenti émotionnel ou physiologique.

L'attention est un mouvement cérébral qui va nous permettre d'orienter notre action en fonction d'un objectif, d'un centre d'intérêt, etc.

Nous n'avons pas toujours le plein contrôle de notre attention. En effet, elle peut aussi être attirée, malgré nous, par des sollicitations extérieures inattendues (le voi-

APPRENDRE AVEC LA PÉDAGOGIE POSITIVE

sin de classe qui fait tomber sa trousse, une mouche qui pète, oups !).

Mais notre **attention** peut aussi être sélective. Nous avons alors le pouvoir de la diriger à notre guise pour satisfaire notre projet d'apprentissage.

Si le mouvement d'**attention** ouvre notre esprit, il existe un autre mouvement, complémentaire, celui de la **concentration** qui isole notre conscience de toutes les distractions inutiles à la tâche que nous devons entreprendre.

La **concentration** favorise une bonne mobilisation de la mémoire de travail pour attraper les informations, les enregistrer et les traiter.

Le contrôle de ces deux mouvements est particulièrement utile en situation d'apprentissage.

L'**attention** et la **concentration** sont deux grandes consommatrices d'énergie. C'est pourquoi, lorsque votre enfant vous dit qu'il est fatigué, ne pensez pas tout de suite qu'il essaye de vous manipuler pour en faire le moins possible. Il est vraiment fatigué, surtout si la tâche est nouvelle, complexe et/ou longue. Proposez-lui régulièrement une pause. Pour cela, vous pouvez utiliser la méthode des cœurs (voir page 72) que nous aimons bien et qui a fait ses preuves.

Nous entendons souvent en consultation des parents dire que leur enfant a un problème de **concentration** et n'écoute pas ce que dit l'enseignant. Or, la plupart du temps, il ne s'agit pas d'un problème, à savoir une défaillance neurophysiologique, mais bel et bien d'une mauvaise identification de la fonction à mobiliser : **attention** ou **concentration** ?

Astuce

Je mobilise mon attention si je veux attraper ce que dit l'enseignant.

Je mobilise ma concentration si je veux réaliser un exercice jusqu'au bout.

Découvrons maintenant quelques bons trucs et bonnes astuces pour favoriser l'attention et la concentration

✷ Le mandala

Le mandala est un terme sanskrit qui signifie « cercle ». Dans le bouddhisme, c'est un support de méditation. Dans la société occidentale, la neuropédagogie souligne l'intérêt du mandala comme outil antistress. Nous préconisons le coloriage de mandalas pour favoriser les apprentissages et notamment avant les devoirs pour développer les capacités d'attention et/ou de concentration. En effet, comme c'est un dessin centré, il permet un recentrage de l'enfant. Le coloriage est une activité apaisante, ludique et dynamisante qui permet ensuite de démarrer sereinement le temps des devoirs.

Prenez cinq minutes avant de commencer à travailler. Les enfants ayant besoin de se concentrer colorieront le mandala de l'extérieur vers l'intérieur pendant cinq minutes. Si le mandala n'est pas terminé, on le reprendra le lendemain. Même chose pour les enfants ayant besoin de développer leur attention mais en sens inverse (du centre vers l'extérieur).

Il existe de nombreux sites internet où il est possible de télécharger des mandalas vierges. Il existe aussi de très bons livres sur la question dont ceux d'Armelle Géninet (voir bibliographie, page 191).

✷ La méthode Vittoz

La méthode Vittoz, créée par le Dr Roger Vittoz en 1890, vise à rétablir l'équilibre cérébral au moyen d'exercices simples et pratiques.

La rééducation du contrôle cérébral est une méthode de rééquilibrage des deux principales fonctions du cerveau : réceptivité et émissivité (la pensée, le raisonnement). Cette méthode est fondée sur le fait que le cerveau ne peut pas à la fois recevoir et émettre.

Un enfant qui serait toujours en émissivité, c'est-à-dire qui serait toujours en train de penser à des milliards de choses sans arrêt, n'a pas de place pour recevoir l'information. À l'inverse, un enfant qui ne serait qu'en réceptivité, qui se laisserait submerger par toutes les informations qu'il reçoit de l'extérieur, n'a pas de place pour émettre les pensées.

Petit entraînement quotidien pour contrôler l'émissivité

Invitez l'enfant à fermer les yeux... Demandez-lui de faire « apparaître » dans sa tête un tableau (noir ou blanc). Pour les enfants qui ne voient pas une image nette dans leur tête, avoir l'idée du tableau est suffisant. L'enfant doit tracer sur le tableau les lettres de l'alphabet les unes après les autres en effaçant la lettre après l'avoir tracée pour ne garder qu'une lettre à la fois. L'objectif est d'arriver à tracer tout l'alphabet sans se déconcentrer. Sachant qu'à chaque fois que l'enfant décroche, il redémarre à la lettre A.

Au début, vous vous apercevrez qu'il est très difficile de maintenir une concentration jusqu'au Z. En général, les enfants s'arrêtent à la lettre H.

Avec un entraînement de cinq minutes par jour, l'enfant réussira peu à peu à faire tout l'alphabet sans se déconcentrer.

Petit entraînement quotidien pour améliorer la réceptivité des bonnes informations

Invitez votre enfant à accueillir les sensations qui arrivent par ses cinq sens : « Tu regardes autour de toi et tu laisses entrer les formes, les couleurs en laissant ton cerveau au repos... Tu laisses entrer les sons juste pour ressentir la vibration dans ton corps... Tu laisses entrer les odeurs sans réfléchir... Tu laisses tes mains entrer en contact avec différentes matières autour de toi (tes vêtements, ta peau, tes cheveux, le canapé, etc.) en laissant ton cerveau au calme... »

Il est important d'expliquer à votre enfant que le but de cet exercice est de laisser le cerveau se reposer en lui évitant de penser et de réfléchir.

Les sensations ne doivent pas entraîner d'associations d'idées (le bruit de la moto dehors me fait penser que, moi aussi, j'aimerais bien une moto quand je serai plus grand, le tableau dans le salon me rappelle le dernier Noël passé en famille au cours duquel je me suis fait disputer par mamie Françoise, etc.).

Ces deux exercices ne prennent que cinq minutes chacun et peuvent être alternés un jour sur deux. Comme nous le verrons avec l'utilité des routines (voir page 70), ils s'inscrivent dans une hygiène de vie cérébrale.

Nous entendons régulièrement à propos de ces exercices : « Les quinze derniers jours, c'était un peu moins bien avec notre enfant, mais il faut dire que l'on n'a pas trop fait les exercices, on n'a pas eu le temps. » Ce qui témoigne de la nécessité de prendre le temps avant qu'il ne vous prenne !

APPRENDRE AVEC LA PÉDAGOGIE POSITIVE

★ L'axe de symétrie

L'axe de symétrie est un petit exercice de recentrage pour enfants qui « partent dans tous les sens », si vous voyez ce qu'on veut dire. Enfin…

Cet exercice ne prend pas plus de cinq minutes, ça tombe bien, et peut être effectué juste avant de faire les devoirs ou d'aborder une nouvelle notion.

L'axe de symétrie

En position debout ou assise, invitez votre enfant à fermer les yeux… Et dites-lui lentement et avec une voix douce : « Imagine une ligne qui partage ton corps en deux parties quasi-identiques… Cette ligne commence au sommet de ta tête… glisse le long de ton nez… passe sur ton menton… le long de ton cou… passe au milieu de ta poitrine… descend vers ton nombril… et descend jusqu'au sol vers un point situé entre tes deux pieds… maintenant que tu as tracé la ligne… tu vas remonter tout doucement le long de cette ligne en sens inverse pour retourner en haut de ta tête… tu sens les deux parties de ton corps se rassembler autour de ton axe. »

Faire de la place dans sa tête et se mettre en projet

Cas pratique : Côme en CM1

Côme est envoyé en consultation à la demande de l'enseignante. Il semble écouter les explications mais n'arrive pas à produire ou à reproduire les exercices demandés. Un bilan a été fait et a écarté un trouble de l'attention (TDA). Nous mettons Côme en situation d'exercice et nous constatons effectivement qu'il ne parvient pas à réexploiter la consigne. Nous lui demandons alors ce qu'il se passe dans sa tête et, à tout hasard, s'il voit quelque chose. Sa réponse est pour le moins originale : « Je vois Mario qui saute sur un champignon. » « Mario qui ? » « Bah, Super Mario de la Wii. » Nous lui demandons s'il aurait la gentillesse de faire disparaître Mario de sa tête pendant le temps de l'exercice. Ce qu'il fait avec bonne volonté. Il réussit alors très bien le travail demandé. Magique, non ?

Pour pouvoir entrer dans les apprentissages, on l'a dit, l'attention doit être mobilisée. À l'entrée, je dois pouvoir laisser « les copains de jeu » ou les préoccupations au vestiaire pour faire de la place pour accueillir les informations.

Ne nous trompons pas ! Faire le vide dans sa tête ne signifie pas ne penser à rien mais éviter la « moulinette mentale » ou le « petit vélo dans la tête » (choisissez l'instrument qui vous convient le mieux) pour se focaliser sur des évocations apaisantes.

Par ailleurs on n'apprend pas pour apprendre. On apprend toujours pour quelque chose, que ce soit pour :

- ❑ le redire,
- ❑ le refaire,

☐ le savoir demain, la semaine suivante ou toujours,

☐ le réutiliser une fois, plusieurs fois, tout le temps.

Il est donc très important de définir au démarrage l'objectif du travail qui va être fait. Par exemple : « tu vas lire ce texte pour comprendre quels sont les personnages et me le dire », ou bien « tu vas lire cette consigne en entier pour pouvoir me dire ce que tu dois faire ensuite », ou encore « tu vas lire et répéter cette poésie dans ta tête pour pouvoir réciter déjà les deux premiers vers lorsque tu seras prêt », etc.

Pensez à formuler de manière précise ce que vous attendez. Un exemple classique est le fameux : « range ta chambre » qui ne donne souvent pas le résultat escompté par les parents, et dont la réponse « ben si, j'ai rangé » (pulls, pantalons en boule sous le lit, livres au pied de la bibliothèque mais en pile…) peut être très déconcertante. Une formule du genre : « range tes livres dans ta bibliothèque et mets tes vêtements dans le panier à linge sale » a souvent une issue plus opérationnelle. Attention, la formule ne peut pas comporter plus de deux actions à la fois.

Cas pratique : Lilou, en CE1, « apprend pour le dire à maman »

Lilou vient en consultation. Sa maman signale que sa fille apprend très bien ses mots de vocabulaire et les connaît parfaitement quand elle les lui fait réciter et réécrire. Cependant, la petite fille ne réussit pas les interrogations écrites en classe et orthographie mal les mots. Nous lui demandons comment elle fait pour mémoriser ses mots. Apparemment, sa technique fonctionne très bien. Mais elle dit : « je crois que les mots s'effacent pendant la nuit… » Lorsque nous lui demandons alors pourquoi elle apprend ses mots, elle répond du tac au tac : « ben ! pour savoir les dire à maman ! »

Cet exemple montre que le projet de Lilou fonctionne très bien dans le temps qu'elle s'est fixé ; à savoir, dix à quinze minutes après.

Dans le cas de Lilou, il a suffi d'ajouter deux projets supplémentaires au projet initial (savoir le redire à maman) :

- ☐ savoir le redire à l'enseignant,
- ☐ apprendre les mots pour les savoir pour toujours.

On retrouve le même problème chez les ados qui nous rapportent souvent qu'ils apprennent pour montrer à leurs parents qu'ils savent, pour que ces derniers les laissent tranquilles.

Installer des routines

La routine est souvent synonyme de monotonie conduisant à l'ennui. C'est vrai ! En tant que psys, nous invitons souvent nos patients à sortir de leur routine, à changer leurs habitudes pour amorcer un changement.

Pourquoi alors conseillons-nous d'installer des routines lorsqu'il s'agit d'aider l'enfant à se préparer à travailler ?

Faire les devoirs est une activité qui génère souvent du stress. Comme le dit Hans Selye, pionnier des études sur le stress, le stress est « un syndrome général d'adaptation de l'homme à son environnement ». Chaque situation nouvelle fait sortir l'être humain de sa zone de confort et peut engendrer une peur, la fameuse peur de l'inconnu. Si les adultes ont appris à se rassurer et à faire face aux situations stressantes, grâce à leur expérience, l'enfant, quant à lui, n'a pas encore assez d'expérience pour surmonter cette peur.

Dès lors, une nouvelle leçon à apprendre, l'enjeu d'un contrôle et de l'évaluation sont autant d'éléments qui risquent de déclencher des réponses inadaptées pour entrer sereinement dans les apprentissages (blocage, agitation, pleurs, maux de ventre, etc.).

Il nous paraît donc essentiel d'aider l'enfant à surmonter son inquiétude en le rassurant. C'est évident, mais il est toujours bon de le redire.

Alors comment faire ?

Un moyen très efficace de rassurer un enfant est d'installer des « routines ».

Quand votre enfant était petit, ces routines consistaient à rythmer les soins selon un planning fixe et autour de rituels (bain, alimentation, histoire du soir, coucher, etc.). Ce système avait comme vertu de sécuriser votre enfant et de lui donner confiance. Il savait ce qui allait se passer à l'avance. Ou presque.

L'alternance entre les routines obligatoires (se laver les dents après manger) et les routines de plaisir (histoire du soir, DVD de Dora) facilitait la coopération. Votre enfant savait qu'un moment de plaisir succédait à une tâche qui le motivait moins, favorisant ainsi les transitions entre les activités.

Les chercheurs disent qu'il faut vingt et un jours consécutifs pour installer ou changer une habitude. La routine crée une habitude. Quand l'habitude est installée, plus besoin d'expliquer, de négocier et de s'énerver. C'est une activité qui fait partie intégrante du quotidien. Cette démarche est d'ailleurs très bien expliquée dans le livre, best-seller, de Christine Lewicki *J'arrête de râler !* (voir bibliographie page 191).

Il en va de même pour les devoirs. Plus tôt vous inscrirez le temps du travail scolaire dans le planning, et vous astreindrez à le respecter, plus il sera facile pour votre enfant de s'y mettre.

Pour aider au respect des routines, nous conseillons souvent des outils et techniques de gestion du temps, comme l'utilisation du Time Timer®, la méthode des cœurs et la technique des petits pas…

> La connaissance s'acquiert par l'expérience. Tout le reste n'est que de l'information.
>
> Albert Einstein

★ L'utilisation du Time Timer®

Le Time Timer® permet à l'enfant de « matérialiser » le temps grâce à son système unique de représentation visuelle. Très simple d'utilisation, il suffit de tourner le disque rouge jusqu'à l'intervalle de temps désiré. La partie visible du disque rouge diminue au fur et à mesure que le temps s'écoule jusqu'à disparaître complètement. Totalement silencieux et donc non stressant, il permet à l'enfant de « voir » le temps qui passe et de mieux le quantifier. Il a été conçu par une éducatrice soucieuse de permettre aux enfants d'évaluer le terme d'une échéance sans devoir pour cela être capable de maîtriser la notion abstraite du temps.

★ La méthode des cœurs

Nous avons testé avec des enfants de tous âges une manière très facile à mettre en œuvre, ludique et efficace pour gérer le temps de travail : la méthode des cœurs.

Procurez-vous un chronomètre. Un simple minuteur de cuisine fait tout à fait l'affaire.

Réglez le temps en fonction de l'âge et des capacités attentionnelles de vos enfants : de dix à vingt-cinq minutes. Chaque tranche constitue un cœur : durant cette tranche, vous allez faire travailler votre enfant sur une tâche précise que vous avez définie à l'avance, écrite sur un papier ou un tableau.

À la fin du cœur, vous octroyez à votre enfant une pause de cinq minutes. Durant cette pause, repos total ! Votre enfant ne doit pas faire de choses excitantes (jeu vidéo, télé, vidéos, Internet…). Il s'agit de reposer son esprit.

Évitez d'interrompre un cœur car c'est une unité indivisible, d'où l'intérêt de se fixer un objectif de temps réaliste. Si vous l'avez interrompue, cela ne compte pas, il faudra en refaire une entière !

En résumé : un cœur de dix à vingt-cinq minutes de travail plus cinq minutes de pause alternées. Au bout de trois cœurs, la plupart des plus jeunes auront terminé leur travail. Les plus âgés feront une pause plus longue de quinze à trente minutes avant de reprendre leur travail pour les tranches de travail complémentaires.

À la fin des cœurs, l'enfant pourra colorier le nombre atteint.

Contrairement aux bons points de notre enfance, cette méthode récompense l'effort et non le résultat. Comme pour le tableau de renforcement positif, que nous verrons un peu plus loin, vous pouvez tout à fait décider d'une gratification au bout de 10 cœurs.

Haut les cœurs !

★ Le kaisen ou la méthode des petits pas

Réflexion

« Même un voyage de mille kilomètres commence par un premier pas. »
Lao Tseu

Nous observons souvent que les parents s'inquiètent trop fortement de ce que leur enfant ne progresse pas assez vite. Il est vrai que lorsque nous voulons changer une situation, nous avons tendance à nous tourner vers des méthodes rapides, voire miracles. Nous nous décourageons dès que les résultats ne sont pas au rendez-vous suffisamment rapidement. Il en est de même avec les enfants à qui l'on fixe trop souvent un objectif inatteignable dans un temps restreint.

Nous conseillons donc aux parents de découper l'objectif final en une série de petits objectifs facilement réalisables. Par exemple, « apprends d'abord les deux premières lignes de ta poésie ».

Nous avons besoin de temps pour laisser notre cerveau faire son travail tranquillement. Si nous le brusquons, il y a de fortes chances, ou plutôt un très gros risque, qu'il ne veuille plus du tout coopérer.

Si nous voulons préparer notre tête à travailler, il faudra y faire de la place, se mettre en projet et favoriser les routines qui développent des automatismes aidants pour l'apprentissage.

Nous avons souvent tendance à croire que l'apprentissage n'est qu'une question de tête bien faite. Or, notre cerveau n'est pas le seul maître à bord. Il travaille de concert avec le cœur et le corps. L'on ne peut pas faire l'économie du rôle fondamental qu'ont nos émotions.

C'est ce que nous allons voir maintenant.

Cas pratique : Camille, élève de seconde

Camille a encore des difficultés à retenir les tables de multiplication. Bien que très bonne élève, elle se rend bien compte que cette lacune la handicape en maths et dans sa vie quotidienne.

En mathématiques, elle fait de nombreuses erreurs de calcul qui lui sont préjudiciables malgré un très bon raisonnement. L'idée d'apprendre par cœur les fameuses tables la rebute.

Nous lui faisons prendre conscience qu'elle connaît déjà la majorité des opérations et nous isolons uniquement celles qui posent problème. Il en reste une dizaine que nous l'invitons à mémoriser à raison d'une nouvelle tous les deux jours.

Au bout d'un mois, Camille maîtrise enfin ses tables. Elle ne s'est pas découragée car l'effort demandé était réalisable et minime.

Il n'y a pas de grande tâche difficile qui ne puisse être décomposée en **petites tâches faciles.**

Mathieu Ricard

PRÉPARER SON CŒUR À TRAVAILLER

- Les émotions ont un rôle fondamental dans l'apprentissage.
- Comment apprendre à en faire des alliées.
- La confiance en soi et la motivation sont intimement liées.
- Comment favoriser la confiance en soi lors des apprentissages.

L'on parle très souvent de l'intelligence et du fonctionnement cognitif de l'enfant pour expliquer les difficultés liées à l'apprentissage. Mais l'on oublie de souligner l'importance du rôle des émotions dans l'apprentissage.

Or, c'est à celles-ci que sont confrontés les parents et, d'une manière générale, les adultes encadrants (enseignants, grands-parents, etc.). Ces derniers se trouvent souvent démunis face à ces émotions car elles semblent incompréhensibles.

Ces émotions engendrent de l'inquiétude, de l'impuissance et un parasitage, voire une vraie nuisance, dans les relations au quotidien (sociales, scolaires, familiales). Lorsque les difficultés ne concernent qu'un seul enfant, ce n'est déjà pas facile d'y faire face, mais quand toute la fratrie est concernée, les conséquences peuvent être « fukushimesques » (nous présentons toutes nos excuses au peuple japonais pour notre humour qui ne fait peut-être rire que nous). Sachant que chaque enfant va jouer à sa façon son univers émotionnel, l'étendue des possibilités de conflits est vaste.

Il existe alors au moins trois solutions pour dénouer ces nœuds relationnels :

❑ Solution onéreuse : plus de vitamine C pour les parents, une cure de sommeil par an et un grand voyage sans enfant.

❑ Solution politiquement incorrecte : un bon coup de bottin qui ne laisse pas de trace, mais qui est interdit par la loi (c'est de l'humour, faut-il vraiment le préciser ?).

❑ Solution adaptée (qui a notre préférence vous l'aurez deviné) :
- apprendre à identifier les émotions pour pouvoir mieux les apprivoiser et accompagner son enfant de manière adéquate ;
- favoriser la mise en place et le développement d'une juste confiance en soi.

Le rôle fondamental des émotions

Dans les processus d'apprentissage, les émotions sont très présentes et il est nécessaire de pouvoir en faire des alliées.

★ Qu'est-ce qu'une émotion ?

Wikipédia donne une définition simple et claire de ce qu'est une émotion : « Le terme émotion vient de "mouvoir, mettre en mouvement". Une émotion est une réaction psychologique et psychique à une situation et à l'interprétation de la réalité. En cela, une émotion est différente d'une sensation, qui elle est la conséquence physique directe (relation à la température, à la texture…) aux perceptions sensorielles. Quant à la différence entre émotion et sentiment, celle-ci réside dans le fait que le sentiment ne présente pas une manifestation réactionnelle. Néanmoins, une accumulation de sentiments peut générer une réaction émotionnelle. »

★ Les différentes émotions

On distingue les émotions de base (théorisées par Paul Ekman* en 1982) :

la joie   la tristesse   le dégoût

la peur   la colère   la surprise

Paul Ekman classait ainsi les émotions en trois grandes catégories : les émotions positives, les émotions négatives et les émotions toxiques (voir tableau ci-après).

Émotions positives	Émotions négatives	Émotions toxiques
Amour	Nostalgie	Haine
Confiance	Embarras	Humiliation
Gratitude	Honte	Mépris
Approbation	Méfiance	Tromperie
Fierté	Culpabilité	Amertume
Sincérité	Mélancolie	Rancune
Passion	Trac/Timidité	Envie
Plaisir	Répression	Dédain
Affection	Solitude	Jalousie
Tendresse	Ennui	Fanatisme

Les émotions secondaires sont des mélanges des émotions de base formant des émotions mixtes. Par exemple, la honte est un mélange de peur et de colère bloquées ou retournées contre soi.

Les émotions influencent nos comportements au quotidien. Elles ont un rôle majeur dans l'apprentissage car elles conditionnent les capacités d'attention et, à terme, de mémorisation.

Notre société banalise les émotions positives considérées comme normales, à l'instar des bonnes notes qui sont souvent banalisées comme le résultat normal du travail à fournir.

En revanche, les émotions négatives ont tendance à être « diabolisées » car trop dérangeantes, inconfortables et signe de faiblesse. Nous entendons souvent des « il pleure pour rien », « elle pleurniche pour un oui, pour un non », « il ne se contrôle pas » pour parler des émotions « négatives », jugées anormales par les parents, au sujet de jeunes enfants qui ne parviennent pas encore à les contenir. Or comme pour tout apprentissage, la maîtrise des émotions s'apprend et prend du temps. Et, comme pour les autres acquisitions, la maîtrise des émotions dépend aussi du modèle que nous avons sous les yeux. Parvenez-vous à rester calme lorsque vous ne réussissez pas à monter votre bibliothèque suédoise en kit dont la publicité vous dit qu'elle sera prête en deux minutes chrono ? Toute ressemblance avec des faits ayant existé est purement voulue.

Les émotions, quelle que soit leur nature, nous sont nécessaires pour vivre. Si je croise un lion dans ma rue, je ne vais pas m'interroger sur l'incongruité de la présence de l'animal. Je vais prendre mes jambes à mon cou sous l'emprise de la peur et c'est normal et sain !

✶ Le rôle des émotions dans l'apprentissage

Les émotions positives sont un moteur pour rentrer dans les apprentissages. Le plaisir de découvrir, la joie de faire, la fierté de réussir, la confiance dans sa capacité à réussir encore et encore, etc., sont autant d'émotions indispensables à la prise de risques.

Cependant, d'autres émotions peuvent prendre le dessus et venir perturber le fonctionnement. Elles deviennent handicapantes pour apprendre sereinement.

En effet, toute situation nouvelle d'apprentissage peut nous mettre en insécurité.

L'inconnu fait peur, que nous soyons petits ou grands. Seule l'expérience, avec le temps, va nous permettre de supporter cet inconfort.

Dans notre pratique, les deux émotions négatives, donc bloquantes, qui reviennent le plus souvent sont la peur et la colère. La peur qui se transforme en paralysie et la colère, engendrée par la frustration, qui se transforme en crise de nerfs.

La peur :

– de l'inconnu,

– de se tromper,

– de décevoir Papa et Maman,

– de se faire gronder,

– d'être ridicule,

– de réussir.

La colère…

– de voir que les autres y arrivent mieux que moi,

– de ne pas réussir tout de suite,

– face à la durée des devoirs.

Quand les émotions prennent le contrôle du « cerveau », que se passe-t-il alors ? Réponse : mon amygdale prend les commandes.

Mais qui est cette amygdale ? Elle porte le même nom que ses cousines qui vous ont fait tant souffrir et que l'on vous a certainement retirées lorsque vous étiez petit !

L'amygdale est comme un centre de traitement des émotions. Elle reconnaît les émotions liées aux perceptions. Deux exemples parlants : je vois une tarte aux framboises et un plaisir m'envahit. Je vois ma leçon d'histoire sur deux pages écrites en minuscules sans espace et la peur s'empare de moi.

La peur crée un court-circuit dans le cerveau et le cortex (centre de la logique rationnelle) ne va pas pouvoir traiter l'émotion qui arrive. L'amygdale prend alors le relais et il est alors impossible pendant un certain temps de réfléchir de façon raisonnable et raisonnée.

Sachant que le développement neuronal du cortex chez l'être humain n'arrive à maturité qu'à l'âge adulte (18 ans pour les filles, 32 ans pour les garçons ☺), chez les enfants, c'est l'amygdale qui sera prépondérante car elle est mature dès la naissance.

Le « c'est incroyable quand même qu'il/elle n'arrive pas à contrôler ses émotions à six ans ? » est une remarque vaine et qui ne vous fait que du mal, à lui et à vous. Qui a dit : « Le cœur a ses raisons que la raison ignore » ?

En conclusion, c'est une perte d'énergie et une escalade toxique que de vouloir continuer à raisonner un enfant prisonnier de son amygdale. Mieux vaut laisser retomber les émotions pendant un petit moment et reprendre paisiblement un dialogue constructif en abolissant définitivement les « Pourquoi tu te mets dans cet état ? Pourquoi tu ne veux pas travailler ? Pourquoi tu te décourages ? Pourquoi… ? ». Si votre enfant avait la réponse, à ce moment-là, il la partagerait avec un grand plaisir.

Les **émotions** sont comme les vagues, l'on ne peut pas les empêcher d'arriver mais l'on peut choisir sur laquelle on veut **surfer.**

Il existe de nombreuses techniques pour calmer le jeu. En fonction de la personnalité des enfants, nous proposons souvent les exercices suivants, simples et rapides à mettre en œuvre (la bulle de calme et/ou le recentrage).

La bulle de calme

Il s'agit d'inviter l'enfant à s'isoler de toute stimulation extérieure, non pas pour le punir, mais pour lui permettre de laisser ses émotions retomber.

En fonction de l'enfant, il sera souhaitable d'arrêter de parler et de lui poser les mains sur les épaules, les bras ou de lui tenir les mains. Il s'agit d'amener l'enfant à se calmer tout seul, mais en le rassurant par notre présence. D'autres auront besoin de se retrouver seuls dans un endroit de la maison qu'ils apprécient.

Cette pratique aide l'enfant à accueillir ses émotions et à les apprivoiser. Elle ne fonctionne que si et seulement si l'adulte reste calme et ne rajoute pas de stress négatif à la situation. Cela permet de remettre les émotions négatives à leur juste place, des émotions qui vont et qui viennent comme les autres, et ne font que passer.

L'option « gros câlin » est également une très bonne chose qui ne remet pas en question votre autorité, et n'est pas le signe d'une quelconque faiblesse.

Le recentrage par la respiration abdominale

Une fois le calme revenu, vous pouvez inviter votre enfant à prendre conscience de sa respiration, sans la forcer. Simplement en sentant l'air qui entre par les narines, descend dans la trachée, puis gonfle le ventre.

Pour les plus petits, l'explication d'un ballon qui se gonfle à l'inspiration et qui se dégonfle à l'expiration est tout à fait appropriée. Invitez-le à se concentrer quelques instants sur sa respiration qui doit être calme, lente et régulière.

✶ Faire de nos émotions des alliées

Cas pratique : David en cinquième ou le syndrome du gruyère

David se plaint d'avoir une très mauvaise mémoire. Il a l'impression que son cerveau est un « gruyère » d'où les informations s'échappent par les multiples trous. David est un garçon angoissé qui exprime très bien sa peur de perdre en route ses connaissances et l'état de tension qu'il ressent quand il doit apprendre ses cours. Il dépense trop d'énergie à maîtriser sa peur, ce qui bloque l'accès à l'information aussi bien en phase entrante qu'en phase sortante.

Pour aider David à se détendre, nous lui expliquons les mécanismes de la mémorisation (voir page 142). Nous lui expliquons que ce ne sont pas les informations que nous perdons, mais que c'est le chemin pour y accéder que nous avons du mal à trouver.

Nous verrons plus loin comment l'utilisation du Mind Mapping va aider David à retrouver facilement son chemin (voir page 137).

La confiance en soi et la motivation

Nous entendons très souvent des « mon enfant n'a pas confiance en lui/elle », « il/elle ne se fait pas confiance », « il/elle n'est pas motivé(e) » et autres phrases autour du concept flou de la confiance en soi et de la motivation.

Pour parler de la nécessaire confiance en soi, nous allons surtout vous parler d'amour. Nous ne remettons pas du tout en cause l'obligation de mettre des limites, d'exercer votre autorité de parent et d'inculquer vos principes de vie à votre enfant. En revanche, quand on s'interroge sur la manière de favoriser la confiance

PRÉPARER SON CŒUR À TRAVAILLER

en soi de l'enfant, on passe dans un registre différent où il est question d'amour, de regard bienveillant et de communication positive.

Lorsque l'on parle de confiance en soi, il est impossible de faire l'économie de revisiter sa propre histoire et la manière dont nous nous faisons nous-mêmes confiance.

Petite réflexion existentielle

Lorsque vous attendiez votre enfant, vous avez essayé de l'imaginer de nombreuses fois. Fille ou garçon ? À qui ressemblera-t-il ? Vous nourrissiez déjà peut-être pour lui de grands projets de vie : médecin, avocat, sportif de haut niveau, artiste de renom... Que de beaux projets positifs empreints de modèles de réussite sociale. Bien évidemment, tous les parents rêvent que leur enfant soit heureux mais quand leur adolescent leur apprend qu'il souhaite être DJ comme David Guetta, les angoisses du réel rattrapent vite les rêves.

On projette aussi sur cet enfant à venir sa propre histoire. On espère continuer une lignée ou bien réparer ce qui n'a pas été réalisé.

Et quand l'enfant paraît, comme disait Françoise (Dolto), tout nouveau, tout beau, c'est le plus beau de la Terre. Et c'est vrai ! C'est au moment du premier regard que la confiance en soi, ou plutôt l'estime de soi, prend naissance.

Beaucoup de parents feraient TOUT pour leurs enfants, SAUF les laisser être eux-mêmes.

APPRENDRE AVEC LA PÉDAGOGIE POSITIVE

✶ Confiance en soi ou estime de soi ?

La confiance en soi, c'est le sentiment intime que possède une personne en sa capacité de bien avancer dans la vie, de se débrouiller, de s'adapter, d'entrer en relation avec les autres, de prendre les bonnes décisions et de réussir ses projets. Elle repose sur une bonne estime de soi qui est le sentiment profond d'avoir de la valeur, d'être aimable (au sens de pouvoir être aimé) et d'être accepté pour ce qu'on est.

Une bonne confiance et une bonne estime permettent de s'épanouir harmonieusement et de devenir un adulte bien dans sa tête et bien dans ses baskets (ou ses talons hauts).

✶ Les étapes de la confiance en soi

La première fois que votre enfant a tenté de manger sa purée avec une cuillère, tout seul comme un grand, qu'il s'en est mis partout et a redécoré la cuisine, lui avez-vous immédiatement retiré la cuillère en le sermonnant et en lui disant : « Si tu n'es pas capable de manger correctement, je ne te donne plus la cuillère ! » ? Eh bien non ! Vous avez peut-être même pris des photos que vous vous êtes empressé d'envoyer aux amis, aux mamies pour montrer la facétie de votre ange. Et vous lui avez redonné la cuillère la fois suivante pour qu'il réessaye et l'avez félicité de ses progrès.

Lorsque votre enfant, petit château branlant, a essayé pour la première fois de lâcher la table du salon pour tenter un premier pas et qu'il est tombé sur sa couche hébété, vous êtes-vous dit : « c'est foutu, il ne va jamais y arriver » ? Eh bien non ! Vous l'avez encouragé, tel un supporter du PSG (ou de l'OM, selon les sensibilités) un soir de grand match, persuadé qu'il était parti pour être ballon d'Or.

Et puis vient l'entrée à l'école. À la maternelle, on peut dire que ça va encore. Enfin… pas toujours. Mais dans l'ensemble, mis à part quelques cas où les enseignants alertent les parents sur des troubles du comportement, l'enfant bénéficie encore d'un regard positif et bienveillant de la part de l'adulte. Et nous, parents, continuons à trouver les dessins de nos bambins magnifiques. Nous nous émerveillons devant ce petit être qui découvre le monde, pose de nombreuses questions et commence à parler de mieux en mieux… avec quand même des prononciations un peu douteuses parfois.

Qui n'a pas d'anecdotes amusantes de prononciation ou d'invention de mots de son enfant ?

Nous accueillons toutes ces erreurs avec le sourire et nous nous accrochons même à ce langage farfelu pour nourrir la nostalgie d'un passé révolu, celui du temps où nous avions l'impression que nos enfants n'étaient qu'à nous et que tout était joyeux et doux.

Et ainsi de suite. À chaque étape de la toute petite enfance, vous avez toujours été là pour encourager, soutenir, valoriser chaque progrès.

Alors, petite interrogation : qu'est-ce qui peut transformer le parent valorisant les progrès en parent détecteur de fautes ? À quel moment, les « waouh », « super », « c'est bien » qui font avancer sont-ils remplacés par des « mais non ! », « n'importe quoi », « fais attention », « c'est pas comme ça » qui bloquent les élans explorateurs ?

Eh bien, chers lecteurs et lectrices, c'est au moment où nous nous confrontons au regard social et à ses jugements normatifs. Qui n'a jamais entendu un « ah bon ? Il ne sait pas encore lire, marcher, faire du vélo sans roulettes… ? C'est bizarre à son âge ! »

Sorti d'un monde coloré laissant la place au mouvement, à l'expérimentation et à l'erreur, l'enfant entrant au CP se retrouve dans une salle de classe, assis sans bouger pendant six heures, devant lever le doigt pour attendre son tour de parole…

Comme nous l'avons déjà cité précédemment (voir page 43) « l'idée que poser le cul sur une chaise à des enfants ou adolescents pendant des heures et des heures chaque semaine les rend mieux formés est une connerie prodigieuse ». On aime beaucoup répéter cette phrase car dire des gros mots est une jubilation, quand nos enfants n'écoutent pas.

Au collège et au lycée, l'enjeu devient de plus en plus important : orientation, métier, choix amoureux, fréquentations, conduites à risques, etc., sont autant d'inquiétudes qui occupent une place prépondérante dans la tête des parents.

Avec l'entrée à la « grande école », le thermomètre de la pression monte. L'évaluation commence et les notions de comparaison et de normalité s'installent. En tant que parents, il est très difficile de rester « cool » face à ces premiers enjeux. C'est comme si on ne devait pas se louper au départ car un mauvais départ est un mauvais présage pour la poursuite de la scolarité, voire pour l'avenir tout entier.

Malgré la pression, quand tout se passe bien, nous gardons le même regard. Nous continuons à encourager notre enfant, à le féliciter. Il est fier de rapporter de bonnes notes à ses parents et il y trouve une reconnaissance.

Narcissiquement, cet enfant est bon pour nous. Quelle fierté !

Mais que se passe-t-il quand tout ne va pas comme sur des roulettes et que les premières difficultés arrivent (mauvaises notes, convocations…) ?

Eh bien cet enfant, celui que nous avons admiré pendant des années, nous commençons à le voir différemment. Il nous gêne, nous inquiète, nous énerve, nous renvoie une image négative de parent.

Et c'est là que les mots qui tuent la confiance peuvent malheureusement franchir la porte de nos lèvres : « crétin », « mais qu'est-ce qu'on va faire de toi ? », « tu finiras comme… », « si tu continues comme ça, tu vas finir clochard », « regarde ta sœur, elle, elle a de bons résultats », « tu es feignant(e) », « tu es égoïste », etc.

Parfois, nous arrivons à retenir ces phrases négatives mais notre regard en dit long et notre enfant le voit.

Nous rencontrons souvent (trop souvent malheureusement) des parents inquiets qui demandent une consultation pour remédier à des difficultés scolaires avant la fin du premier trimestre du CP. Or, même si quelquefois les demandes sont justifiées par de réels troubles d'apprentissage, nous remarquons souvent que bon nombre de parents, victimes du système de pression descendante, consultent pour être rassurés.

★ Le temps fait bien son affaire

Certains enfants ne collent pas tout de suite à la grille d'évaluation, à la norme arbitraire. Ces mêmes enfants possèdent, par ailleurs, de nombreuses compétences, mais n'ont pas eu encore le déclic de la lecture ou de l'écriture en même temps que les autres. Parfois, il faudra attendre l'année de terminale pour qu'un ado ait le déclic pour travailler. C'est vous dire à quel point la route est longue et génératrice d'inquiétude.

Cela nous rappelle, avec un certain amusement teinté de dépit, les normes de développement psychomoteur que l'on retrouve dans les manuels pédiatriques pour parents : « à un an, votre enfant doit être capable d'empiler trois cubes. » Euh… que cela signifie-t-il si à un an mon enfant ne fait pas la fameuse tour de cubes ? Dois-je en déduire qu'il est en retard, qu'il est bête et que son avenir est compromis ?

C'est bien là que nous pensons que la norme, l'évaluation et la comparaison avec le groupe classe peuvent devenir un vrai problème. Ce système crée des angoisses et change le regard que porte l'adulte sur l'enfant. L'enfant qui ne respecte pas le timing édicté va être étiqueté « enfant à problèmes », « enfant en difficulté ». Les adultes vont alors déployer l'artillerie plus ou moins lourde pour aider ce petit être « défaillant ». Les parents avec toute leur « conscience professionnelle parentale » vont s'en remettre à l'avis des « experts » auxquels ils vont faire une confiance de néophyte. Ce qui est bien normal ! Malheureusement, cet avis peut s'avérer, parfois, culpabilisant, alarmiste, et digne des prophéties de Nostradamus.

Les parents vont alors perdre la confiance inconditionnelle qu'ils portaient à leur enfant à chaque étape jusqu'alors. Le doute va s'installer : « Et si mon enfant n'y arrivait pas, malgré tout ? » Ils voient déjà cet enfant, devenu adulte, en difficulté (mauvais job, précarité, voire marginalisation), faute d'avoir réussi à passer les échelons d'une scolarité dite « normale ».

Nous avons envie de dire et même de crier : « DÉTENDONS-NOUS ! Revenons à une vision plus raisonnable et saine de l'apprentissage. »

Petite parenthèse historique

Albert Einstein, célèbre cancre, a fait un parcours honorable.

André Citroën, qui quitta l'école très tôt tant sa nullité était abyssale, passa son temps à bricoler de drôles d'engins dans son jardin et, peu de gens le savent, est devenu l'inventeur de la publicité moderne.

Daniel Picouly, cancre dysorthographique, devenu professeur d'économie et célèbre écrivain, continue son petit bonhomme de chemin avec un bon correcteur orthographique sur son ordinateur.

Nous pourrions prolonger cette liste à tant d'autres enfants contrariants qui sont devenus des adultes responsables et épanouis, mais nous nous arrêterons là pour vous laisser le plaisir de chercher et de les découvrir, y compris dans votre entourage !

✴ Norme, évaluation et confiance en soi

La norme et l'évaluation sont utiles, certes, pour donner des repères. Mais l'évaluation n'est utile que si nous en faisons quelque chose de positif et de constructif tant individuellement que collectivement.

Or, bien souvent – trop souvent –, l'évaluation est le bras armé d'une norme réductrice et décourageante, voire dégradante pour celui qui a le malheur de se placer au bas de l'échelle.

De nombreux auteurs, professeurs pour la plupart, ont dénoncé ce système complètement négatif et pressurisant de l'évaluation.

Petite parenthèse historique

En France, c'est André Antibi, professeur de mathématiques et chercheur en didactique, qui a théorisé, dès 1988, cette pression négative du système d'évaluation français sous le nom de « constante macabre » (et en a fait le sujet d'un livre éponyme paru en 2003).

Il écrit : « Par "constante macabre", j'entends qu'inconsciemment les enseignants s'arrangent toujours, sous la pression de la société, pour mettre un certain pourcentage de mauvaises notes. Ce pourcentage est la constante macabre. »

André Antibi dénonce ainsi à la fois le poids excessif de la note et la systématisation des mauvaises notes dans le système éducatif français. Ce système sélectionne par l'échec, avec pour conséquence le découragement et l'exclusion de nombreux élèves.

Que les enseignants qui nous lisent ne sautent pas au plafond tout de suite. Professeur lui-même, André Antibi n'a pas eu pour intention de culpabiliser les enseignants en les faisant passer pour de méchants profs qui jouissent, avec un brin de perversité, de casser les élèves. Bien au contraire ! Selon lui, et nous nous rallions à ses propos, les enseignants sont eux-mêmes victimes d'un système, très pervers, dans lequel il serait louche, ou en tout cas pas sérieux, que tous les élèves aient toujours de bonnes notes. Alors qu'un enseignant qui noterait très sévèrement, serait perçu comme un professeur exigeant et rigoureux qui met la barre haute et tire par conséquent ses élèves vers le haut. Mouais…

C'est ce système de croyance et d'inconscient collectif qui pousse certains profs à avoir leur quota de mauvaises notes.

À ce stade de la démonstration, vous êtes en droit de vous dire : « *so what ?* » (pour ceux qui préfèrent le français, nous dirons : « oui, mais encore ? »).

Eh bien, si l'évaluation est nécessaire, et si l'on veut qu'elle serve à élever les enfants, à les faire progresser, il faut envisager un autre système. Un système que de nombreux enseignants, que nous rencontrons, appliquent. André Antibi a mis en œuvre un système qu'il appelle « l'évaluation par contrat de confiance » et qu'un

APPRENDRE AVEC LA PÉDAGOGIE POSITIVE

nombre croissant d'enseignants adoptent. Le terme peut faire sourire car il évoque peut-être pour certains la fameuse enseigne rouge et noire spécialisée en électro-ménager et matériel hi-fi…

Néanmoins, c'est celui qui a notre préférence car il est fondé sur la confiance. Une de ses vertus est de renforcer la confiance de l'enfant et de le motiver. Confiance mutuelle, en lui-même et dans l'adulte qui l'évalue.

Le principe est simple : l'enseignant ne fait intervenir l'évaluation que lorsqu'il s'est assuré que tous les enfants sont en capacité de réussir l'épreuve.

Avec ce système, aucun élève ne peut aller à une évaluation la peur au ventre. Les élèves réussissent et obtiennent la satisfaction du travail accompli. Cela leur donne envie de continuer à poursuivre leurs efforts. Ils tirent une image positive et valorisée de leur rôle d'apprenant. L'apprentissage à la maison devient facile car les enfants sont détendus et leurs parents aussi.

Le plaisir de la réussite engendre le plaisir d'apprendre et diminue les résistances (si vous souhaitez creuser la question plus avant, nous vous invitons à aller voir le site mclcm.free.fr).

✷ Mais d'où vient la motivation ?

Nous entendons souvent des parents se plaindre du manque de motivation de leur enfant. Par maladresse, et surtout par méconnaissance, ils traduisent ce manque de motivation par un « mon fils/ma fille est feignant(e) », « il a un poil dans la main », « ma fille ne s'intéresse à rien ».

Nous répondons inlassablement à ces parents soucieux que nous ne connaissons pas d'enfant feignant. Nous connaissons seulement des enfants manquant de mo-tivation et ayant perdu leur curiosité naturelle quand il s'agit de l'apprentissage scolaire. En effet, les mêmes « feignants » sont tout à fait capables de passer des heures à démonter et remonter leur vélo, lire l'œuvre intégrale de Bernard Werber ou tester les multiples combinaisons du Rummikub.

Nous rappelons inlassablement que la motivation ne tombe pas du ciel. La motiva-tion à se mettre au travail dépend de plusieurs facteurs, dont les deux principaux sont se faire plaisir et faire plaisir à l'adulte.

☐ **Se faire plaisir :** quand je travaille, je peux trouver du plaisir dans la matière elle-même. À défaut, je peux trouver, même dans une matière que je n'aime pas, le plaisir dans la réussite, le plaisir du travail accompli, la fierté des efforts que j'ai fournis et le plaisir dans les progrès que je fais. La motivation est intimement liée à mon niveau de confiance en moi et en les autres.

Plus l'enfant a confiance en lui, plus il va être motivé. Plus il va être motivé, plus il va s'impliquer dans son travail. Plus il s'implique, mieux il réussit et aura plus confiance en lui. C'est ce que nous appelons le cercle vertueux de la réussite.

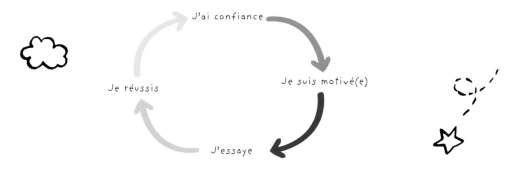

Nous ne connaissons pas beaucoup d'enfants, ni d'adultes d'ailleurs, criant haut et fort adorer échouer ou être nul. Il est difficile, en effet, de continuer à vouloir travailler avec plaisir et motivation quand on sait que, systématiquement, nous allons être confrontés à des difficultés.

☐ **Faire plaisir à l'adulte :** l'on dit souvent qu'un des moteurs principaux pour les enfants réside dans leur volonté de faire plaisir à l'adulte. Entendons par adulte les parents, les enseignants et les adultes de l'entourage proche.

Pourquoi l'enfant cherche-t-il à faire plaisir à l'adulte ? En faisant plaisir à l'adulte, l'enfant cherche la satisfaction et la gratification. En somme, il cherche de la reconnaissance et de la valorisation. Ce que les adultes continuent également à chercher au travail. N'oublions pas que pendant toute la période de l'enfance, l'enfant reçoit sa valeur dans le regard que posent sur lui les adultes de son entourage.

Plus tard, l'enfant devenu adolescent cherchera à faire plaisir à l'adulte pour « avoir la paix ». Nous rencontrons souvent des ados qui ont bien compris le principe et en usent avec beaucoup d'ingéniosité. Ce qui donne lieu à des propos comme : « de toute façon, moi j'ai compris un truc, tant que j'ai des bonnes notes, mes parents me lâchent les baskets. Ils me laissent sortir, ils me font plaisir. » Ce qui en soi n'est pas un mal puisque chacun y trouve son compte.

Nous utilisons d'ailleurs ce même procédé avec certains ados très retors et ayant perdu toute motivation en leur faisant comprendre tous les bénéfices qu'ils auraient à se mettre un peu plus au travail. Ne serait-ce que pour avoir moins leurs parents sur le dos. Par ce procédé, nous sommes encore loin des leviers de motivation intrinsèques tels que le plaisir de la réussite, du travail accompli ou du sens profond du travail et de sa finalité individuelle. Néanmoins, cela nous permet de relancer certains « moteurs » au point mort.

Temps de réflexion

Quelles sont les trois principales difficultés que les enfants doivent dépasser au moment de faire leurs devoirs ? Les difficultés dépendent de l'âge des enfants, mais les raisons qui reviennent le plus souvent sont :

☐ **Pas envie de s'y mettre** et de lâcher la télévision, l'ordinateur et toute autre activité beaucoup plus fun que le travail.

☐ **Réussir à faire les devoirs dans un temps raisonnable,** donc pouvoir maintenir sa concentration et travailler efficacement pour éviter des séances interminables et douloureuses.

☐ **Maintenir la motivation.** Ne pas se laisser aller au découragement, soit face à la quantité importante de devoirs, soit face à la difficulté, sachant qu'ils ont déjà passé un minimum de six heures de travail à l'école.

PRÉPARER SON CŒUR À TRAVAILLER

Des solutions pour favoriser la confiance en soi

Nous venons de voir à quel point la confiance en soi et la motivation qui en découle sont les piliers fondamentaux d'un apprentissage harmonieux et gagnant.

Nous ne pouvons pas nous arrêter là sans vous livrer quelques réflexions et pistes pour vous aider à favoriser cette si précieuse confiance.

Mais d'abord voici une petite définition utile, que vous ne trouverez pas forcément dans le Larousse, et qui répond à la question : « qu'est-ce qu'un enfant ou un ado ? ».

Un enfant est un être en devenir. CQFD !

C'est une personne qui doit être respectée et qui ne possède pas encore l'expérience et les ressources (physiques, psychiques, morales, financières) pour s'assumer seul.

Mais c'est surtout une éponge ! Une éponge à émotions, comme nous l'avons dit en tout début de ce chapitre.

Comment puis-je faire, alors, en tant que parent pour donner cette confiance à mon enfant en dépit des difficultés éventuelles ?

★ Trois préalables incontournables

À la base, tous les parents ont envie de soutenir leur enfant dans ses apprentissages, mais cela finit souvent en champ de bataille. Pourquoi ?

Tous les parents ont envie d'aider leurs enfants. Mais tous les parents ne sont pas des spécialistes de la pédagogie. En fin de journée, ils sont eux aussi fatigués par leur journée de travail et souhaiteraient que ce temps des devoirs se fasse vite et bien. D'autant qu'outre les devoirs, il y a de nombreuses tâches familiales à effectuer. L'impatience est donc au rendez-vous et, à moins d'être yogi 12e dan, il devient très compliqué de garder son calme et sa disponibilité. Surtout quand l'enfant rechigne à s'y mettre, se lève toutes les cinq minutes, râle parce que « j'y arrive pas, c'est trop dur ! », « c'est pas juste d'avoir autant de travail ».

94

Et encore, nous n'abordons pas le cas des enfants qui présentent de réels troubles de l'apprentissage et pour lesquels le temps des devoirs est un temps de souffrance. Pour ceux-là, il est encore plus difficile de garder calme et bienveillance quand on vient de passer une heure sur le premier exercice et qu'il en reste encore… de nombreux autres.

Nous conseillons donc aux parents d'essayer de mettre en pratique ces trois conseils primordiaux :

 ❑ **Être indulgent avec soi-même** et se dire qu'on fait de son mieux et que c'est déjà bien. Les parents n'ont pas vocation à être des super profs bis dont la réussite scolaire de l'enfant dépend. Ne jamais oublier de faire toujours passer l'essentiel avant l'important, comme le dit Edgar Morin dans *Ethique* (voir bibliographie, page 192). Dans un pays reconnu pour faire surtravailler les enfants (scolairement parlant), il ne faut pas oublier que les devoirs passeront toujours après le sommeil, les câlins et les repas en famille.

❑ **Utiliser la méthode des petits pas.** Nous observons souvent que les parents s'inquiètent trop fortement de ce que leur enfant ne progresse pas assez vite. Ce qui aboutit à un découragement et à de l'énervement dès que les résultats ne sont pas au rendez-vous suffisamment rapidement. Il en est de même avec les enfants à qui l'on fixe trop souvent un objectif qui n'est pas atteignable dans un temps restreint. Nous conseillons aux parents de découper l'objectif final en une série de petits objectifs facilement réalisables (voir page 74).

❑ **Utiliser une approche collaborative et ludique pour un travail efficace.** À l'instar des élèves finlandais qui brillent par l'excellence de leurs résultats et par leur bien-être, nous invitons les parents à envisager le temps des devoirs comme une étape où l'enfant va s'approprier les savoirs à sa manière. Le rôle des parents est, dès lors, de les accompagner dans cette démarche : en le rassurant « tu vas y arriver », en l'aidant à trouver ses propres ressources : « comment tu fais pour mémoriser… ? » Le Mind Mapping est un des outils qui fonctionne très bien dans cette perspective (voir page 172).

PRÉPARER SON CŒUR À TRAVAILLER

N'hésitez pas à partager avec vos enfants ces trois conseils qui peuvent également s'appliquer à eux-mêmes :

☐ **Être indulgent avec soi-même :** « J'essaie toujours de faire de mon mieux, parfois j'y arrive, parfois je n'y arrive pas tout de suite, mais j'y arriverai plus tard. » L'objectif est de ne pas se décourager et de poursuivre ses efforts demain.

☐ **J'apprends par petits morceaux** et je varie les exercices et les matières pour éviter que mon cerveau ne fasse une indigestion, « trop de maths tue les maths ». Je planifie mon travail sur la semaine (même si je suis en CM1) pour pouvoir faire les choses sans me stresser et laisser le temps à mon cerveau de comprendre.

☐ **J'arrête de voir mes parents comme de « gros râleurs qui sont là rien que pour m'embêter ».** Je leur fais confiance et j'accepte leur aide. Je me dis qu'avec mes parents nous pouvons découvrir de belles choses ensemble, et nous amuser même en travaillant.

✶ Se souvenir de l'effet Pygmalion

Quoi qu'il arrive, je vais essayer de toujours porter un regard bienveillant sur mon enfant. Replongez-vous dans l'expérience de Rosenthal (voir page 25).

On met facilement des étiquettes sur les enfants : le lent, le zébulon, le calme… On le définit et on l'enferme dans un modèle dont il a du mal à s'échapper. Il va être ce que l'on attend de lui. Nous pouvons donc attendre aussi le meilleur et créer des prophéties auto-réalisantes positives.

✶ Être conscient et constant

Je m'observe, sans jugement, et je me demande si, en faisant une chose ou une autre, ou lui disant ces mots, je l'élève ou au contraire je l'abaisse. Si je lui fais cette réflexion, est-ce que je l'aide à grandir ou est-ce qu'elle ne sert qu'à me soulager ?

Il est donc toujours important de se questionner sur la vertu pédagogique de certaines de nos remarques.

Cas pratique : Hannah en 5ᵉ

Hannah, 12 ans, élève de 5ᵉ, vient voir sa mère un dimanche soir à 21 heures et lui annonce en gémissant : « Maman, j'ai un contrôle d'histoire demain et je dois apprendre les seize chefs d'État français de 1850 à 1945 et j'avais oublié. » Dans l'après-midi, elle n'a bien sûr pas oublié de regarder ses séries préférées, d'aller rendre visite aux copines, etc.

Deux options s'offrent alors à la maman d'Hannah (qui est l'une de nos filles, vous l'aurez compris).

Première option : lui tomber dessus en hurlant « purée, c'est pas possible, tu es ch... C'est toujours la même chose avec toi ("toujours" étant en fait un "souvent" mais la colère ne connaît pas les nuances), alors que tu avais tout le week-end, blablabla, conclusion débrouille-toi et tu seras punie ».

Seconde option (celle qui aura finalement été retenue) : « Amène-moi ton cahier, viens ici on va regarder ça ensemble. » Au bout d'une demi-heure, la magie du Mind Mapping et de la coopération opérant, la leçon était sue.

La maman d'Hannah lui fait quand même remarquer que sa procrastination a interrompu un excellent film qu'elle regardait et que l'épisode du soir devra servir d'expérience pour la prochaine interrogation.

Nous reprendrons l'exemple d'Hannah et les chefs d'État lorsque nous aborderons la technique du Mind Mapping (voir page 149).

PRÉPARER SON CŒUR À TRAVAILLER

★ Autonomiser

Aider son enfant à grandir et à agrandir sa confiance et son estime passe par l'autonomisation.

Avoir confiance en soi, c'est avoir la conviction qu'on est capable de faire des choses tout seul et de les faire correctement.

Nous recevons, un jour, un garçon de dix ans qui ne lace toujours pas ses chaussures tout seul. Il a trouvé la parade : il « adore » les chaussures à scratch. Quand nous demandons à la maman pourquoi son fils ne lace pas ses chaussures, elle nous répond qu'au début elle a bien essayé mais… son enfant « ne va pas assez vite et n'est pas doué pour cette tâche ». Très vite, elle s'est donc substituée à lui pour gagner du temps et éviter des conflits. Soit !

Quand nous demandons au jeune garçon pourquoi il opte pour des baskets auto-collantes et n'essaye pas d'apprendre à faire ses lacets, il nous répond du tac au tac : « j'en ai marre de voir que ma mère me trouve trop nul pour faire mes lacets comme un grand. Un jour, j'ai bien réussi à les faire mais ma mère m'a dit que ce n'était pas la bonne méthode. Et elle m'a dit que même mon petit frère y arrive mieux. Je me suis énervé et ma mère aussi. Alors, j'ai décidé que je mettrais que des scratchs, comme ça maman ne me criera plus dessus pour ça et ne me dira plus que je suis nul. Mais c'est vrai que je suis pas très doué de mes mains de toute façon. » Aïe…

L'apprentissage peut parfois être chaotique et long. À chaque nouvelle étape, laissez votre enfant expérimenter, se tromper, recommencer… Sans le brusquer. Il y arrivera bien un jour !

Dans la mesure du possible, essayez de le laisser faire tout seul et dites-lui : « tu vois, tu y es arrivé », « je suis fier de toi »…

Autonomiser son enfant, c'est aussi l'encourager à faire des choix.

Le laisser prendre des décisions simples dès tout petit l'aidera à en prendre de plus compliquées plus tard.

APPRENDRE AVEC LA PÉDAGOGIE POSITIVE

Ainsi, dès deux ans, nous pouvons laisser notre enfant choisir quel fruit il veut pour son dessert, quelle histoire il préfère avant de s'endormir, puis assez rapidement comment il souhaite s'habiller (en respectant toutefois les *dress codes* saisonniers), quel cadeau il souhaite offrir à son ami pour son anniversaire, etc.

Laisser un enfant prendre des décisions lui montre la confiance qu'on lui accorde et que son avis a de l'importance. Libre à vous de définir les domaines dans lesquels il peut décider et ceux dans lesquels c'est vous qui décidez.

Il est essentiel d'avoir conscience qu'il n'y a pas d'autonomie dans le travail d'apprentissage s'il n'y a pas d'autonomie dans la vie quotidienne.

★ Valoriser

Votre enfant rentre de l'école avec un magnifique dessin de… En fait, vous ne voyez pas bien ce qu'il représente. Pour lui c'est un dinosaure. Pour vous, c'est un fouillis abstrait post-cubiste. Que dire ?

Même si le résultat n'est pas parfait, vous pouvez toujours trouver quelque chose à valoriser et relever toutes les « bonnes actions » de votre enfant : « ton dessin est magnifique, les couleurs que tu as choisies sont très belles. » Mais aussi : « tu as bien rangé ta chambre », « tu as été très sage pendant que j'étais au téléphone », « tu m'aides beaucoup en rangeant les courses avec moi », « bravo, tu as réussi à faire un exercice sans te décourager »…

L'objectif n'est pas de gonfler l'ego de son enfant à partir de rien. Dans ce domaine, le pédiatre américain Thomas Berry Brazelton* enseigne que pour que l'enfant prenne conscience de sa réussite, il a besoin de compliments. Néanmoins, trop de compliments et de flatteries risquent de faire peser une trop forte pression sur lui. Les critiques le blessent et abîment son estime de lui-même, le poussant à la passivité. Tout est une question de dosage et de manière de dire les choses.

★ Parler positif

Grâce à de nombreuses études en psychologie positive et en neurosciences, nous savons maintenant que la forme conditionne le fond.

Aussi notre cerveau comprend beaucoup mieux les messages affirmatifs et positifs que les messages exprimés sous une forme négative. Au lieu de dire « ne crie pas », vous pouvez dire « parle plus doucement s'il te plaît », au lieu de dire « ne cours pas », dites « marche », au lieu de dire « ne frappe pas ta sœur », dites « essaie d'être gentil avec ta sœur », etc.

La confiance en soi naît de l'estime de soi.

En définissant l'enfant par des « c'est un clown », « il est toujours en retard », « c'est l'artiste de la famille », « c'est l'intellectuel », on l'enferme dans un rôle dont il ne peut plus sortir et qui peut être très frustrant pour lui, même si la remarque est positive.

L'important est de toujours juger les actes et non la personne.

Par exemple, si votre fils casse la poupée de sa sœur, il vaut mieux ne pas dire « tu es méchant » mais « tu as cassé la poupée de ta sœur, c'est méchant ». De la même façon, dire « tu t'es trompé en faisant cet exercice, recommence, tu vas y arriver » est beaucoup plus constructif qu'un « tu es bête ou quoi ? ».

De cette manière, ce n'est pas l'enfant qu'on juge, mais uniquement l'acte qu'il a commis, c'est beaucoup moins angoissant et dévalorisant pour lui. N'oubliez pas que, comme vous, il a le droit de commettre des erreurs.

★ Renforcer les comportements positifs

Nous remarquons souvent qu'à l'instar des émotions, les parents portent une grande attention sur les comportements négatifs et dérangeants de leur enfant.

Les bêtises, les erreurs, la désobéissance, les crises d'opposition, l'inertie, les gros mots, la violence sont autant d'actes de nature à faire réagir fortement les parents. Et ça, les enfants l'ont bien compris ! Un enfant qui désire attirer l'attention de ses parents s'arrangera toujours, consciemment ou inconsciemment, pour se faire remarquer par ses comportements négatifs.

Comment cela se fait-il ? C'est un système simple et logique qui perdure depuis des décennies. À force de nous focaliser sur les comportements négatifs de nos enfants, d'y réagir vivement et de reléguer au rang de la normalité les comportements positifs, nous avons envoyé le message suivant : « Si tu veux monopoliser le temps et l'attention de tes parents, fais une bêtise, refuse de travailler, d'aller prendre ta douche, frappe ta sœur, insulte les profs, fume, sèche les cours, etc. Tu peux être sûr que tes parents réagiront et ne te lâcheront plus d'une semelle. Ils s'intéresseront à toi à coup sûr. »

Nous avons parfois entendu des enfants nous dire : « mes parents, ils s'occupent toujours de mon frère/ma sœur, alors qu'il/elle les embête, et jamais de moi. J'ai compris. Maintenant, je vais faire comme lui/elle, ça sert à rien d'être sage, comme ça, ils s'occuperont de moi aussi. »

Comment faire, alors, pour sortir de ce cercle vicieux ?

La solution est tellement simple qu'elle va vous paraître trop simple pour être honnête. Et pourtant, elle fonctionne à merveille.

Si je souhaite que mon enfant adopte des comportements positifs, je vais devoir prêter beaucoup plus d'attention aux comportements positifs qu'aux comportements négatifs.

Cela ne signifie pas que je ne doive pas sanctionner mon enfant lorsqu'il se comporte mal. Cela signifie que je vais encourager, complimenter, gratifier et reconnaître tous les comportements positifs de mon enfant. Je vais lui montrer tous les bénéfices qu'il peut obtenir en optant pour des comportements adaptés : faire plaisir à ses parents, être reconnu, avoir des parents plus détendus qui crient moins, passer plus de temps à jouer, etc.

Les comportements positifs peuvent être de nature différente : se mettre au travail sans rechigner, arrêter de s'énerver violemment à la première frustration, s'autonomiser, s'organiser dans son travail, préparer ses affaires la veille pour le lendemain, etc. En tant que parent, je vais lui faire part de mes attentes dans un premier temps et lui fixer, pour commencer, trois missions très précises, et pas plus, pour la semaine :

☐ Je me mets à mes devoirs à 18 heures sans traîner.

☐ Je prépare mes affaires de classe pour le lendemain avant d'aller dîner.

☐ J'arrête de jeter mon cahier par terre quand je suis énervé.

Voici un exemple de tableau de renforcement positif qui a sauvé du désespoir bon nombre de parents et que vous pouvez réaliser facilement avec votre enfant en adaptant les missions à vos choix et à l'âge de l'enfant.

Missions	LUNDI	MARDI	MERCREDI	JEUDI
Je me mets à mes devoirs à 18 h	○	●	○	
Je prépare mes affaires avant le dîner	○	○		
J'arrête de jeter mon cahier par terre ...	●	○		

Le but du tableau de renforcement positif consiste à mettre de l'objectivité dans les relations parent/enfant. La règle du jeu est la suivante et doit être fixée à l'avance :

☐ Coller un point vert lorsque la mission est effectuée, un point rouge lorsqu'elle n'est pas faite.

☐ Si l'enfant obtient trois quarts de points verts à la fin de la semaine, il a droit à une récompense qui n'est pas forcément matérielle (une sortie, jouer à la DS, regarder la télé une heure de plus le week-end), et plutôt une activité faite en commun avec lui.

❏ Féliciter à chaque point vert, ne rien dire pour les points rouges. Se contenter de mettre le point rouge dans le tableau en sa présence.

❏ Pas de menace au point rouge « Si tu ne le fais pas, tu vas avoir un point rouge ! » pour éviter de retomber dans des négociations et dans de la culpabilisation.

Faîtes le bilan à la fin de la journée et distribuez les points.

En fin de semaine, si les points rouges sont majoritaires, ne partez pas dans une leçon de morale inutile. Au contraire, encouragez votre enfant en valorisant une progression ou en le plaçant dans une anticipation positive (« je suis sûr que tu vas y arriver la semaine prochaine »). Sachant que la première semaine surtout, vous avez tout intérêt à vous montrer indulgent pour qu'il se sente en réussite.

Comme nous venons de le voir, l'apprentissage est bien évidemment une histoire de tête et de cœur. Néanmoins, il est important de ne pas négliger le rôle du corps dans l'apprentissage. Ce corps, si souvent ignoré, voire maltraité, est un élément fondamental de l'apprentissage.

PRÉPARER SON CORPS À TRAVAILLER

PRÉPARER SON CORPS À TRAVAILLER

> • Un esprit sain dans un corps sain.
> • La relaxation pour apprendre.
> • Je bouge donc j'apprends.

Comme nous l'avons vu dans les chapitres précédents, l'apprentissage est bien évidemment une histoire de tête et de cœur. Pour clore notre découverte des éléments favorisant l'apprentissage, nous voulons aborder avec vous le rôle du corps.

Notre corps est le baromètre de notre état intellectuel et émotionnel. Si ma tête ne va pas bien et si je me sens mal, c'est souvent mon corps qui me rappellera à l'ordre par des manifestations de toutes sortes.

Inversement, si je ne prends pas soin de mon corps et même pire, si je l'enlève de l'équation de l'apprentissage, il y a de fortes chances que mon cœur et ma tête ne fonctionnent plus assez bien pour me permettre d'apprendre.

Un esprit sain dans un corps sain

Nous sommes toujours émerveillées de constater à quel point le corps est une mécanique parfaite, complexe et tellement fragile aussi.

Cette « machine » fonctionne tellement bien de façon autonome, que la plupart du temps, nous n'avons pas conscience des efforts que notre corps fait pour nous maintenir en vie. Et pourtant…

Nous expliquons toujours à nos patients et à nos stagiaires que notre corps a besoin que nous lui fassions du bien si nous voulons qu'il nous aide à travailler.

Ainsi notre corps, pour bien se mettre au travail, aura différents besoins.

★ Respirer à plein régime

Pour fonctionner au maximum de ses capacités, notre cerveau a besoin d'air, et plus précisément d'oxygène. L'oxygène est un élément naturel qui fait des miracles sur le cerveau et l'ensemble du corps. Le cerveau consomme 20 % de la ration globale du corps en oxygène à lui seul, alors qu'il ne pèse que 2 % du poids de notre corps !

Il existe une source d'approvisionnement en oxygène très simple et encore gratuite à ce jour : l'air extérieur.

Lorsque nous interrogeons nos patients sur leur environnement de travail, nous remarquons que peu d'entre eux pensent à aérer la pièce avant de se mettre au travail.

Nous conseillons donc aux parents et aux enseignants d'aérer la pièce toutes les demi-heures, à défaut de la laisser tout le temps ouverte par temps hivernal.

★ Boire de l'eau (sans alcool et sans sucre de préférence)

Partons en voyage au centre du cerveau : pour faire simple, les neurones transmettent les informations grâce à un flux électrochimique.

Mais laissons la chimie de côté, pour nous intéresser à l'électricité et faites un petit effort pour vous rappeler vos cours de 5e sur l'électricité. Quel est l'un des meilleurs conducteurs de l'électricité ? L'eau, comme aurait pu le dire un célèbre chanteur des années 1970 qui nous a quittés bien trop tôt !

Boire régulièrement de l'eau permet donc de relancer la fabrique à idées, la machine à penser. Si vous constatez que votre enfant a tout à coup plus de mal à se concentrer et à réfléchir, pensez à lui faire boire un peu d'eau.

Nous déplorons d'ailleurs qu'à l'école, certains enseignants refusent que les enfants boivent régulièrement (même si nous savons que la bataille d'eau est un risque à considérer).

★ Manger, c'est bon pour penser

Si manger est bon pour penser, tout dépend quand même de ce que nous mangeons. Le docteur Cécile Surateau, médecin nutritionniste avec laquelle nous travaillons étroitement, rappelle que le cerveau des enfants et des adolescents a besoin d'une alimentation spécifique pour l'aider à réfléchir et mémoriser.

Elle propose des programmes alimentaires adaptés à l'apprentissage, comme il en existe pour les sportifs. Ce que nous comprenons aisément pour les champions devient beaucoup moins évident dès lors que nous abordons l'effort intellectuel. Or, notre cerveau fait partie intégrante de notre corps et, à ce titre, il mérite le même soin.

Voici quelques rappels et conseils pour bien garnir les assiettes de vos enfants apprenants :

❑ Les **vitamines** indispensables au bon fonctionnement des cellules de notre cerveau, et notamment les vitamines du groupe B, se trouvent dans les céréales complètes, la banane, les fruits de mer et les épinards.

❑ Les **oméga-3** que l'on retrouve dans les poissons gras (maquereau, sardine et saumon) sont des éléments indispensables dans la construction des neurones de la même manière que les huiles végétales, de préférence noix ou colza (mais pas l'huile de palme, dommage pour la pâte à tartiner au chocolat dont le nom commence par *nu* et se termine par *tella*).

❑ Le cerveau est également un gros consommateur de **sucres rapides**, mais il sera conseillé de consommer du miel plutôt que tout autre sucre raffiné ou sucrerie qui a un effet néfaste sur la concentration notamment. L'ingestion de sucreries avant de travailler entraîne une surproduction d'insuline qui elle-même provoque une hypoglycémie au bout d'un quart d'heure.

★ Dormir pour laisser son cerveau faire son travail

Pendant les phases de sommeil, le cerveau active les connexions neuronales et favorise la mémorisation.

Les besoins quantitatifs de sommeil varient d'un enfant à l'autre, et sont fonction de l'âge. Il y a des gros dormeurs et des petits dormeurs. Néanmoins, même si votre enfant n'est pas une marmotte, gardez à l'idée qu'un minimum de sept ou huit heures est nécessaire pour récupérer et permettre au cerveau de se développer harmonieusement.

Nous rencontrons de plus en plus d'enfants fatigués. Les conséquences de la fatigue ne sont pas négligeables et sont toujours dommageables pour l'apprentissage. Un enfant fatigué aura beaucoup de difficultés à mobiliser son attention et sa concentration, à mémoriser, à soutenir un effort dans la durée. Sans parler du fait qu'un enfant fatigué aura beaucoup de mal à apprivoiser ses émotions. Irritabilité, colère et larmes sont alors au rendez-vous et bloquent les apprentissages comme nous l'avons vu précédemment.

Chez les ados, la dette de sommeil s'est accentuée dans les dernières années avec les nouvelles technologies. Sans violer notre secret professionnel, nous pouvons dire que la majorité des adolescents utilisent leur téléphone portable jusqu'à une heure très tardive, bien planqués sous leur couette. Ils « parlent » avec leurs amis par SMS, BBM et sur les réseaux sociaux. La plupart nous avouent garder leur téléphone allumé toute la nuit sous leur oreiller. Il n'est pas rare qu'ils puissent être réveillés plusieurs fois par nuit par l'irruption d'un message ! Inquiétant, non ? C'est pourtant une réalité…

Parlons aussi de ceux, parfois les mêmes, qui disposent d'une télévision, d'un ordinateur ou d'une console dans leur chambre. Certains attendent que leurs parents soient endormis pour retrouver leur écran favori et se divertir une bonne partie de la nuit.

Concernant les différents points précités, notre position est catégorique : si vous voulez préserver le sommeil de vos enfants, dès le plus jeune âge, débranchez-les des écrans et du téléphone avant le dîner.

107

La relaxation pour apprendre

Comme nous l'avons évoqué au début de ce chapitre, l'acquisition de nouvelles connaissances et compétences scolaires n'est pas qu'une question d'aptitude purement cognitive. La « bonne volonté » ne suffit pas. Il est nécessaire que le corps soit prêt à travailler, à recevoir des informations, les traiter et agir en fonction d'elles. Outre les compétences intellectuelles, l'apprentissage nécessite, avant tout, une disposition physique favorable à la mobilisation de celles-ci.

Or, une trop grande tension musculaire, souvent liée à des situations de mauvais stress, entraîne des dysfonctionnements mécaniques de natures diverses.

Nous rencontrons souvent des enfants gênés pour l'écriture. Leur main est tellement crispée qu'ils n'arrivent pas à écrire correctement. Ce qui peut les conduire à refuser carrément le passage à l'écrit.

Pour ces enfants, nous conseillons vivement une prise en charge en graphothérapie afin de les aider à se réconcilier avec l'écriture. Un des piliers de la rééducation graphothérapeutique est la relaxation musculaire.

Il en est de même pour les enfants qui présentent des difficultés d'apprentissage de la lecture. Si cet apprentissage requiert d'intégrer les gestes mentaux adaptés, il demande aussi une aptitude oculaire fluide (mouvement des yeux de gauche à droite). Or, certains enfants sont tellement tendus que leurs yeux n'arrivent pas à suivre le rythme et à effectuer le bon mouvement.

La plupart du temps, les enfants en état de tension physique dépensent toute leur énergie à surcompenser leurs faiblesses physiques. Il ne leur reste, dès lors, plus assez d'énergie pour mettre en œuvre leurs compétences cognitives.

Dans tous les cas où nous constatons des tensions trop importantes, nous conseillons une pratique régulière de la relaxation pour permettre à l'enfant de se détendre physiquement pour faciliter l'entrée dans les apprentissages.

Notons que la pratique de la relaxation est utile également de manière préventive. Elle devrait faire partie de l'hygiène de vie, au même titre que l'hygiène purement sanitaire.

APPRENDRE AVEC LA PÉDAGOGIE POSITIVE

Petits exercices de relaxation

Voici quelques petits exercices faciles à pratiquer avec votre enfant :

– la respiration abdominale (cf. page 82),

– les automassages du visage,

– les étirements du cou, des épaules et bras,

– le relâchement des doigts et des mains (en secouant les mains très vite et puis lentement).

Pour les enfants plus jeunes qui ont plus de mal à se détendre par eux-mêmes, nous conseillons aux parents l'exercice de « la poupée de chiffon ».

La poupée de chiffon

Demandez à votre enfant de s'allonger sur le dos, les yeux fermés, et vérifiez que ses bras et ses jambes sont détendus... Dites-lui : « Tu vas imaginer que tu es comme une poupée de chiffon... Tes bras et tes jambes sont tout mous... Je vais les bouger dans tous les sens et toi, tu vas te laisser faire complètement puisque tu es en chiffon... »

Secouez ses mains, ses bras, ses jambes successivement et tout doucement. Levez-lui les bras et relâchez-les d'un coup.

L'objectif est d'arriver à ce qu'il n'émette plus de résistance et qu'il se laisse manipuler.

✱ La visualisation positive pour apprivoiser les émotions

La visualisation positive est extrêmement puissante et facile à pratiquer. Elle permet, en très peu de temps, de dépasser l'anxiété, la colère et les pensées pessimistes pour les transformer en attitudes positives.

Nous formons, régulièrement, les enfants et leurs parents, dans notre cabinet et/ou lors de nos ateliers, à cette méthode afin qu'ils puissent l'utiliser au quotidien. Au fil des années, nous avons vu à quel point cette démarche était aidante. C'est un des piliers de la sophrologie.

La sophrologie

Le mot « sophrologie » vient du grec *sos* (harmonieux), *phrein* (esprit, conscience) et *logos* (science, étude).

C'est la science de la conscience harmonieuse. C'est le professeur Alfonso Caycedo, neuropsychiatre d'origine colombienne, qui est à l'origine de cette technique.

Créée en 1960, elle est le fruit de plusieurs années d'expérience clinique. Elle est née de l'alliance de la neuropsychiatrie, des techniques de relaxation et d'hypnose traditionnelles et des grandes techniques de méditation orientales comme le zen japonais, la médiation tibétaine ou le yoga. Elle allie la respiration, la détente musculaire et la visualisation positive. Elle est très utilisée dans le cadre des thérapies cognitives et comportementales.

Vous découvrirez ci-après des petites séquences à faire avec votre enfant pour chasser les émotions parasites et se remplir de positif.

Avant toute visualisation, invitez votre enfant, en position couchée ou assise, à faire une respiration abdominale consciente (voir page 82) les yeux fermés. Grâce à la respiration, votre enfant commencera déjà à se détendre.

Chasser les émotions parasites

Invitez votre enfant à penser à tout ce qui le gêne : les pensées négatives [je suis nul(le), je n'y arriverai pas], les émotions négatives telles que la peur, l'anxiété, la colère, la tristesse.

Vous pouvez lui dire : « Rassemble tous tes soucis, tout ce qui te dérange, te met en colère, te fait peur ou te rend triste... Imagine que tu souffles dans un ballon... À chaque fois que tu souffles, tu remplis le ballon avec tous tes problèmes... »

Faites souffler votre enfant plusieurs fois jusqu'à épuisement du stock de négatif... Puis reprenez : « Maintenant que tu as déplacé tes soucis dans le ballon, imagine que tu fermes le ballon... Tu souffles une dernière fois pour que le ballon s'envole avec tes problèmes... Observe, à présent, comme tu te sens mieux, plus détendu, plus soulagé... Tu as moins peur, etc. »

Il existe de nombreuses manières de déplacer le négatif : vider son sac à problèmes, remplir une boîte à soucis, se débarrasser d'un manteau de colère, poser une émotion négative sur un objet.

L'objectif n'est pas de se voiler la face dans le style méthode Coué (revisitée par Dany Boon, célèbre comique français, dans un de ses sketchs « *Je vais bien, tout va bien* »). Le but est de faire prendre conscience à l'enfant qu'il peut, pendant un instant, choisir de prendre de la distance par rapport à des situations qui ont un impact émotionnel négatif. C'est une jolie façon de lui apprendre progressivement à se positionner de façon optimiste dans sa vie.

Bien sûr, nous ne pouvons pas contrôler certaines situations désagréables qui s'imposent à nous. En revanche, nous avons la capacité de ne pas leur laisser une emprise négative sur nous-mêmes. En y réfléchissant, ce qui est bon pour votre enfant est aussi bon pour vous. Profitez de ces séances pour pratiquer, vous aussi, la visualisation positive.

Accueillir les émotions et les pensées positives

Une fois que vous avez aidé votre enfant à chasser le négatif, vous l'invitez à faire le plein de positif. Cet exercice lui permettra de mettre la main sur ses ressources aidantes, dynamisantes et rassurantes.

Vous pouvez lui dire : « Imagine que tu prépares une potion magique... Tu choisis un flacon de la forme, de la couleur et de la matière que tu préfères... Tu vas remplir ce flacon avec toutes les choses, les pensées et les sentiments qui te font du bien... qui te mettent en joie... qui te rassurent... qui te donnent du courage... Tu peux y mettre les mots d'amour de tes parents... ton jouet préféré... des phrases positives comme des compliments... les amis que tu aimes bien... une musique qui te rassure... Une fois que tu as fabriqué ta potion magique du bonheur, tu imagines que tu la bois tout doucement... à chaque gorgée, tu inspires calmement et puis tu souffles tout doucement pour laisser couler la potion à l'intérieur de tout ton corps... de la tête aux pieds... Tu prends tout ton temps pour savourer tous ces petits bonheurs qui entrent en toi... Tu observes comme ça te fait du bien... Tu te sens tout calme et joyeux... La vie est belle en ce moment... »

Vous avez compris le principe ? Vous pouvez bien sûr adapter ces exercices en fonction de l'univers de votre enfant et de son âge.

Avec les ados, vous pourrez proposer cette approche en utilisant un langage plus adulte pour lui expliquer le concept. Invitez-le à faire les exercices seul dans sa chambre si vous sentez qu'il n'est pas à l'aise à l'idée que vous le guidiez. Cela peut se comprendre.

Sur le plan neurologique, la visualisation positive permet de créer de nouvelles connexions dans le cerveau. À chaque fois que nous l'utilisons, nous consolidons les chemins neuronaux (engrammes). À force de la pratiquer, nous reconfigurons dans la durée notre cerveau en mode positif.

⭑ La *mindfulness*

La *mindfulness*, ou méditation de pleine conscience, est l'intégration laïque des méditations extrême-orientales et de l'apport de la psychologie positive*. C'est avec joie que nous voyons cette approche se mettre en place à l'initiative de Jon Kabat-Zinn, biologiste américain, fondateur de la médecine corps-esprit. En France, les travaux de Christophe André et de Florence Servan-Schreiber (voir page 191) plébiscitent cette approche positive qui apaise les émotions, apprend à focaliser son attention et développe l'acceptation de la réalité du moment présent, quelle qu'elle soit.

De nombreux établissements scolaires dans le monde ont intégré la pleine conscience dans leurs programmes pédagogiques avec des résultats encourageants.

Dépêchons-nous de tenter l'expérience dans les écoles françaises et dans nos chaumières.

Je bouge donc j'apprends

Réflexion

Remémorez-vous les premières années de votre enfant (jusqu'à six ans). Quel est le plus frappant quand vous l'observez ? Il est quasiment tout le temps en mouvement ! Il bouge, il gigote, il court, il saute (même dans les flaques d'eau), il grimpe, il danse, il fait des galipettes ! Et il ne s'arrête pratiquement jamais. C'est pour cela que nous sommes parfois épuisés uniquement en le regardant dépenser toute cette énergie. Cela nous rendrait presque envieux ou nostalgiques. Il n'est que mouvements et sensations.

À la fameuse entrée à la grande école, les choses sérieuses commencent avec l'arrivée des apprentissages dits « fondamentaux ». À ce niveau, on observe une dissociation entre les aptitudes physiques et les aptitudes intellectuelles. Quelques heures sont prévues pour l'enseignement de l'éducation physique et sportive (petite parenthèse où les corps ont le droit et même le devoir de bouger). Le reste du temps, les enfants restent assis six heures sur une chaise souvent inconfortable, coincés entre le voisin de devant et celui de derrière. Le corps doit alors s'effacer pour laisser le cerveau travailler. Quelle tristesse !

Certains élèves réussissent à respecter l'injonction d'immobilité, au prix d'un effort que nous qualifions de surhumain. D'autres y parviennent moins bien et ne peuvent s'empêcher de se balancer sur leur chaise, de triturer leur trousse jusqu'à faire tomber un stylo par terre et avoir le bonheur de se baisser pour le ramasser. D'autres encore, ont souvent besoin d'aller aux toilettes, se portent volontaires pour délivrer les messages dans les autres classes et trouvent toutes les raisons de se lever et d'aller se dégourdir les jambes.

Nous comprenons dès lors, aisément, l'explosion de turbulences, de chahut, voire de violence, qui se manifeste au moment de la récréation. Prenez une centaine d'animaux, maintenez-les attachés dans une cage pendant des heures et lâchez-les dans l'arène tous en même temps. Bienvenue dans la jungle de la récréation ! Cet intermède a le mérite de remettre les corps en mouvement et de libérer quelques tensions, sauf pour celui qui s'est cogné la tête lors d'un télescopage amical. Remettez-les en cage et demandez-leur de se reconcentrer le plus vite possible pour aborder la leçon de mathématiques. Et bien évidemment, sans leur avoir appris le mode d'emploi du recentrage !

Nous comprenons également aisément cette petite phrase souvent dite par les parents que nous recevons : « Je ne comprends pas. La maîtresse me dit que mon enfant est très sage à l'école [vous noterez que "sage" signifie qu'il n'a pas bavardé et pas bougé]. Tandis que quand je le récupère, il est infernal. Il ne tient pas en place. Il est même un peu agressif. J'ai l'impression qu'on ne parle pas du même enfant. » Et pourtant, il s'agit bien du même enfant, cet enfant qui, ayant intégré la règle, s'est contenu toute la journée et explose dès la porte de l'école franchie. Malheureusement, la journée n'est pas terminée, il reste encore des devoirs. Aïe !

114

Nous profitons de cet instant pour témoigner toute notre gratitude aux enseignants qui ont compris que nous ne pouvions pas dissocier l'activité physique de l'activité intellectuelle, et qui aménagent leur enseignement en intégrant le mouvement et en le mettant au service des apprentissages. Ils ont d'autant plus de mérite que l'environnement de travail n'est pas propice à une telle intégration.

Lorsque nous parlons de la place du corps dans l'apprentissage, nous pouvons aller encore plus loin dans la démonstration de l'utilité d'intégrer le corps dans la pédagogie. La prise en compte des besoins physiques n'est pas seulement une affaire de détente et de libération d'énergie. Le corps est un vecteur d'apprentissage en lui-même. Il participe pleinement aux acquisitions intellectuelles fondamentales. Utiliser le corps pour apprendre, c'est favoriser le développement des fonctions cognitives de l'enfant. Rappelez-vous que nous apprenons avec nos cinq sens et les organes qui y sont associés. Nous ne sommes pas qu'un cerveau avec quatre portes d'entrée uniques : les yeux et les oreilles !

Vous allez pouvoir découvrir maintenant des exercices simples à mettre en œuvre, qui réconcilient le corps et l'apprentissage et conduisent même à mettre ce corps au service des apprentissages.

La *brain gym*© a été inventée par un médecin californien, Paul Dennison, il y a quarante ans. C'est une méthode d'éducation par le mouvement. Elle est fondée sur le principe que le mouvement est à la base de l'apprentissage. Le *brain gym*© se compose de vingt-six mouvements faciles et ludiques ciblés tels que les mouvements croisés ou le mouvement du huit couché. Cette gymnastique est reconnue pour améliorer la concentration, l'attention, la motivation, l'habileté manuelle et la mémoire.

Loin de nous l'idée de faire de vous des experts de cette méthode, nous voulons cependant partager deux exercices (le *cross crawl* et le huit couché) que nous utilisons souvent. Ils sont très rapides à réaliser et sont très aidants.

PRÉPARER SON CORPS À TRAVAILLER

Le cross crawl (mouvements croisés)

Demandez à votre enfant de toucher avec son coude droit son genou gauche. Puis de toucher avec son coude gauche son genou droit.

Demandez-lui d'alterner ces mouvements rapidement, puis lentement, les yeux ouverts puis les yeux fermés.

Invitez-le à maintenir une position stable.

Ce mouvement croisé active les deux hémisphères du cerveau simultanément. Il les aide à se reconnecter et favorise la circulation des informations entre l'hémisphère gauche et l'hémisphère droit, entraînant une meilleure concentration.

Le huit couché

Demandez à votre enfant de tendre un bras devant lui, à hauteur des yeux, le pouce pointé vers le plafond.

Invitez-le à tracer lentement dans l'espace la forme d'un grand huit couché en commençant par le centre et en partant vers le haut. Faites-lui suivre le mouvement de la main avec les yeux.

Faites-lui faire le mouvement trois fois avec une main, puis trois fois avec l'autre et enfin trois fois avec les deux mains rassemblées.

Le mouvement du huit couché améliore la coordination et l'équilibre, ainsi que la vision binoculaire, nécessaire pour l'apprentissage de la lecture par exemple. Il permet aussi de se concentrer plus facilement.

Que vous utilisiez les exercices de *brain gym*© ou non, ce qui est important à retenir, c'est la nécessité de faire des pauses kinesthésiques pendant les phases d'apprentissage. Laissez votre enfant se défouler pendant cinq minutes.

Les moyens de remettre son corps en mouvement sont nombreux : sauter, danser, mettre les pieds au mur, courir dans le jardin, aller frapper dans un punching-ball, dans un oreiller, faire une séance de guili-guili… ou toutes autres façons à la convenance de votre enfant.

Ces temps doivent être encadrés dans le temps (pensez au minuteur), pas plus de cinq minutes. À l'issue de cette pause, vous veillerez à faire un retour au calme par un recentrage, en utilisant les exercices de recentrage que nous avons vus précédemment (respiration, axe de symétrie ou mandala). Les règles du jeu doivent être énoncées à l'avance pour favoriser le retour au travail.

En conclusion, nous terminerons ce chapitre par l'adage : « Qui veut aller loin ménage sa monture. »

Pour rester efficace, votre cerveau a besoin de repos. Corps et cerveau étant intimement liés, si vous négligez leurs besoins élémentaires, ils ne manqueront pas de se rappeler à votre bon souvenir (fatigue intellectuelle, trou de mémoire, émotions tyranniques et faible concentration)…

Il ne s'agit évidemment pas que les séances d'apprentissage se transforment en loisirs au détriment de l'investissement dans le travail, mais bien de se ménager pour favoriser l'apprentissage dans la durée.

Apprenez à votre enfant à prendre soin de son corps et de ce cerveau si précieux et si fragile. Expliquez-lui l'importance de recharger ses batteries !

Maintenant, vous êtes incollables sur la manière positive dont vous pouvez aider votre enfant en appliquant notre approche Tête, Cœur, Corps.

Nous vous proposons d'aller plus loin dans l'exploration de la Pédagogie positive® en vous faisant notamment découvrir une démarche d'apprentissage très puissante et l'outil à son service : le Mind Mapping.

PRÉPARER SON CORPS À TRAVAILLER

Troisième partie

SOCRATE, ARISTOTE, MIND MAPPING ET AUTRES HISTOIRES

LE P'TIT SOCRATE AVAIT RAISON

> • La maïeutique de Socrate ou l'art d'accoucher les esprits.
> • Une phrase magique pour ouvrir l'accès à l'information.
> • Un cerveau effervescent et arborescent.

Le système scolaire français, jusqu'à l'apparition des ateliers philo en maternelle, n'ouvrait l'accès à la philosophie qu'en classe de terminale. Si seulement la majorité des élèves pouvaient avoir la chance de croiser le chemin d'une madame Blumenthal, professeur de philosophie au lycée Gustave-Monod à Enghien-les-Bains, qui enseignait sa matière à la manière du vrai péripatéticien* de la Grèce antique ! Le plaisir de la maïeutique ne se perdrait pas après l'âge de trois ans…

L'art d'accoucher les esprits

Pour ceux qui ne le connaîtraient pas encore, nous vous présentons le petit Socrate, Socrate de son prénom et de son nom aussi, Socrate Socrate.

Fils d'un ouvrier sculpteur et d'une mère sage-femme, il s'est rendu célèbre, en son temps, en fondant le premier « café philo », ou presque, à Athènes. Il diffuse son savoir à de nombreux jeunes Athéniens, dont le petit Platon qui deviendra fort célèbre lui aussi.

Très inspiré par la pratique de sa maman, notre petit Socrate, devenu grand, invente la maïeutique, ou l'art d'accoucher l'esprit humain en le questionnant.

Sa méthode est fondée sur le questionnement ouvert. La maïeutique est ce qui permet à chacun de trouver en lui-même ses propres réponses et de retrouver une liberté de penser.

★ Poser les bonnes questions

Imaginons un professeur qui pose à ses élèves l'énigme suivante : « J'ai six clés sans serrure, si tu me grattes je murmure ? »

Puis il leur demande de trouver la réponse. Il sera difficile aux élèves d'accéder à la réponse immédiatement (à moins qu'ils ne soient des lecteurs assidus d'*Astrapi*).

Comment se fait-il que notre cerveau ne fonctionne pas toujours en mode « *Question pour un champion* » ? Comment se fait-il que notre cerveau ne trouve pas instantanément la réponse ?

Pour le comprendre, observons quelles stratégies nous adoptons le plus souvent face à une question.

- ❑ La première est le **silence**. L'énigme passe en boucle dans la tête, je la répète tel un mantra en espérant être touché par la science infuse, mais pas de réponse en vue. Autre possibilité, j'attends que mon voisin crie la réponse, ce qui m'épargne la nécessité de chercher car, de toute façon, je n'ai jamais été bon(ne) pour ce genre de devinettes.

- ❑ La deuxième stratégie est la **réponse**. Je lance un flot de réponses parce qu'avec un peu de chance, l'une d'entre elles sera certainement la bonne.

- ❑ La troisième stratégie est la **dissection**. Je découpe l'énigme en morceaux pour essayer de la comprendre, de l'analyser, de lui trouver un sens, au risque de me perdre dans des analyses trop pointues.

- ❑ La quatrième stratégie est la **question**. Je pose des questions pour obtenir des indices.

Revenons à notre professeur et à son énigme. Si les élèves commencent par poser des questions, nous observons que celles qui viennent naturellement sont majoritairement des questions dites fermées.

Petit rappel.
Comment reconnaître une question fermée ?

Elle commence en général par « Est-ce que... ? » ou « C'est 1 ou 2 ? », et n'appelle dès lors que des réponses binaires (oui/non, vrai/faux ou ça dépend).

Ce genre de questions va permettre à notre cerveau de faire du tri et de déduire, mais pas d'obtenir suffisamment d'informations. Par ailleurs, ce questionnement fermé ne va permettre que d'infirmer une hypothèse ou de confirmer ce que l'on présuppose. Ce processus de découverte, à moins d'une chance inattendue, peut se révéler long, fastidieux et donc décourageant. C'est ce qui fait que bon nombre de chats mangent à leur faim car nous sommes nombreux à leur « donner notre langue » !

Alors pourquoi privilégions-nous ce type de questionnement ?

★ Où sont passés nos pourquoi ?

Prenons un enfant de trois ans. Son esprit est en mode explorateur. Le monde s'ouvre à lui et sa tête déborde de questions. Il est avide de réponses pour comprendre ce vaste monde. C'est à cet âge-là que nous voyons apparaître avec amusement, la valse des « Pourquoi ? Comment ? C'est quoi ? ».

Au début, c'est avec amusement, et même émerveillement, que nous tentons de répondre à ce foisonnement d'interrogations. Nous prenons notre rôle de pédagogue très au sérieux car nous sommes les seuls à pouvoir lui fournir les précieuses informations qu'il attend. Puis, au fur et à mesure, notre patience s'érode, et notre connaissance aussi, et nous avons autre chose à faire que de jouer les *Encyclopaedia Universalis*.

Il faut bien avouer que ce questionnement incessant peut vite devenir agaçant, voire très agaçant. C'est alors que nous adoptons la formule « parce que c'est comme ça » qui coupe court à toute insistance.

À partir de ce moment-là, le moulin à questions va perdre de sa force avec l'entrée à l'école. Et heureusement pour la maîtresse qui risquerait le burn out dès les vacances de la Toussaint. Imaginez trente gremlins la harcelant de multiples questions.

Ce qui est dommageable en revanche, c'est que ce questionnement s'arrête aussi à l'extérieur de l'école. Nous observons effectivement que plus les élèves passent de classe en classe, plus le questionnement s'appauvrit. Et pire encore, les élèves n'osent plus proposer de réponses de peur de se tromper ! Ils n'osent plus, non plus, poser de questions car celui qui questionne, c'est celui qui ne sait pas, ou au contraire c'est le fayot toujours prêt à se mettre en avant : « c'est trop la honte », comme nous l'entendons souvent.

Quand nous intervenons en entreprise, cet état de fait n'a pas disparu pour autant. Ce qui est logique puisque les enfants d'hier sont devenus les adultes d'aujourd'hui, et que le monde de l'entreprise invite plutôt à trouver des solutions qu'à questionner une problématique.

Nous privilégions donc le questionnement fermé car nous avons été conditionnés à le faire. Que pourrions-nous faire d'autre ?

Une phrase magique pour ouvrir l'accès à l'information

Revenons à nouveau à notre professeur et à son énigme. Si les élèves avaient été initiés à la maïeutique dès leur plus jeune âge, ils auraient certainement posé de nombreuses questions dites ouvertes.

Petit rappel.

Comment reconnaître une question ouverte ?

Elle commence en général par un pronom interrogatif « qui, que, quoi » ou par un adverbe interrogatif « comment, combien, pourquoi, quand, où ». Elle appelle une réponse qui contient des informations.

123

★ Le fameux CQQCOQP

Une question ouverte va permettre à notre cerveau d'ouvrir une réflexion qui fournit suffisamment d'informations pour accéder à une réponse.

Le questionnement ouvert accélère le processus de réflexion. Ce processus de réflexion va se révéler rapide et jubilatoire car la réponse émerge de l'intérieur de nous-même comme par magie. C'est ce qui donne le fameux « mais oui ! » ou « bon sang, mais c'est bien sûr » qui couronne joyeusement le chemin parcouru.

En trois questions ouvertes, les élèves auraient pu trouver la réponse :

- ☐ « En quelle matière est-ce ? » En bois.
- ☐ « À quoi sert-il ? » A jouer de la musique.
- ☐ « Quel genre de musique ? » Électrique, folk ou classique.

Vous avez trouvé ?

Le mot magique qui permet de se souvenir des questions ouvertes est « CQQCOQP », soit Comment, Qui, Quoi, Combien, Où, Quand, Pourquoi et Pour quoi.

Astuce

Pour les enfants, cette petite histoire mnémotechnique fonctionne à merveille : « Imagine que tu as une envie pressante d'aller aux toilettes. Lorsque tu arrives devant la porte, elle est fermée à clef. Tu t'exclames alors « CQQCOQP ! » (c'est cucul, c'est occupé !) ».

La carte suivante intitulée « Les questions ouvertes » peut vous permettre de balayer l'ensemble de ces questions ouvertes.

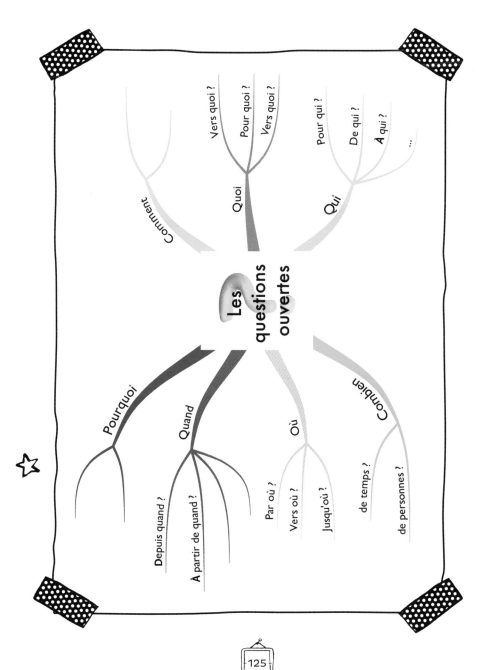

Les questions ouvertes

Comment
- Quoi
  - Vers quoi ?
  - Pour quoi ?
  - Vers quoi ?
- Qui
  - Pour qui ?
  - De qui ?
  - À qui ?
  - …

Pourquoi
Quand
- Depuis quand ?
- À partir de quand ?

Où
- Par où ?
- Vers où ?
- Jusqu'où ?

Combien
- de temps ?
- de personnes ?

LE P'TIT SOCRATE AVAIT RAISON

Nous venons de voir l'exemple d'une énigme qui, par nature, est faite pour ne pas être trouvée immédiatement.

Néanmoins, l'art du questionnement ouvert est d'autant plus efficace qu'il porte sur la résolution d'un problème, la compréhension d'un texte ou d'une leçon, ou la découverte d'un sujet d'étude.

Nous vous encourageons à réhabiliter régulièrement le questionnement ouvert avec vos enfants pour passer de l'apathie à l'appétit, du désintérêt à la curiosité.

Le questionnement ouvert est la corne d'abondance de l'apprentissage. Il a aussi un pouvoir magique, celui de faire parler les livres.

✶ L'art de faire parler les livres et les textes

Avant la lecture d'un livre, d'un texte ou d'une leçon, imaginez avec votre enfant les questions auxquelles vous voulez obtenir des réponses. Par exemple : « Qui sont les personnages ? », « A quelle époque se déroule l'action ? », « Comment les paysans font-ils pour payer les seigneurs ? »…

Cette technique augmente le niveau d'attention et permet une lecture active qui favorise la compréhension et la mémorisation. Peu d'informations passeront au travers du tamis questionneur.

Elle permet également d'être dans une démarche ludique façon Sherlock Holmes en herbe à la recherche d'indices. Plus j'oriente mon questionnement, plus je vais être réceptif à trouver les réponses pertinentes. En résumé, si j'attends des réponses à mes questions, je suis plus attentif.

Selon le niveau de votre enfant, les questions pourront être plus spécifiques. On peut alors passer d'un questionnement généraliste avec la carte CQQCOQP, à un questionnement plus thématique ou analytique. Vous trouverez d'ailleurs une très jolie carte de résumé d'un livre dans le chapitre 8 sur le Mind Mapping (voir page 167).

Exercice pour les grands

Prenez une leçon ou un texte sur un sujet quelconque. À partir du titre principal, posez et notez quelques questions ouvertes que le sujet vous inspire.

Lisez le texte et soulignez les idées clés qui répondent à vos questions.

Vous pourrez observer qu'à la fin de ce petit travail, votre niveau de connaissances est beaucoup plus élevé et exhaustif que si vous aviez lu simplement sans réelle attente.

Exercice de questionnement pour les plus petits

Prenez un texte sur un sujet simple, du genre « fission nucléaire : quel avenir pour l'énergie mondiale ? » ou alors, si cela vous semble trop simple, prenez le texte ci-dessous sur la marmotte. ☺

Prenez quatre feutres de couleurs différentes : vert, rouge, bleu, orange. Chaque couleur correspond à un thème :

- ☐ **vert** pour les informations sur la nourriture,
- ☐ **rouge** pour les informations qui caractérisent l'animal,
- ☐ **bleu** pour celles qui concernent l'habitat,
- ☐ **orange** pour toutes celles qui ont à voir avec l'hibernation.

Demandez à votre enfant de lire le texte en soulignant de la bonne couleur les idées clés qui se rapportent au thème. Il est inutile de souligner une phrase entière (par exemple, thym en vert, terrier en bleu, etc.).

Une fois l'exercice terminé, cachez le texte et posez-lui des questions ouvertes : « Que mange la marmotte ? », « Combien pèse-t-elle ? »...

Vous serez surpris de la qualité, de la précision et de l'exhaustivité de ses réponses. Félicitez-le !

La marmotte : Il y a 60 millions d'années la marmotte est apparue en Asie centrale, ancêtre de tous les rongeurs. Elle est arrivée en France il y a près de 100 000 ans.

Son poil peut être brun, noir, marron. Elle a un corps trapu, les oreilles rondes. La marmotte a des membres courts et puissants avec une longue queue. Sa taille est de 46 à 66 cm et elle pèse de 2 à 9 kilos. Quand il y a un danger, elle siffle pour donner l'alerte aux autres marmottes, qui vont se réfugier dans leur terrier. Elle vit de 4 à 10 ans en captivité et de 4 à 8 ans en liberté.

La marmotte est caecotrophe, c'est-à-dire qu'elle digère deux fois ses aliments en ingérant certaines de ses propres crottes. En Europe, la marmotte adulte pèse de 4 à 8 kilos (vieux mâles) et s'accouple au mois de mai. Sa gestation dure 33 ou 34 jours et la portée peut compter 3 ou 5 petits.

Elle est végétarienne et sélectionne parmi la végétation, les fleurs, les plantes, les bourgeons, les tiges, les graines qui lui seront le plus profitable. Elle préfère le trèfle, le thym et le serpolet. Elle peut aussi manger des baies de myrtilles ou même parfois des criquets, larves ou sauterelles.

Les marmottes se nourrissent à tour de rôle, les unes surveillant les alentours, les autres mangeant. Elles recherchent les lieux découverts, là où la végétation peu dense leur permet de surveiller les airs et l'approche des divers prédateurs (aigles ou renards). Elles préfèrent manger le matin ou le soir, les plantes humides de rosée (les marmottes ne boivent pas).

Pour manger, la marmotte s'assoit sur son arrière-train et grignote les plantes qu'elle tient dans ses pattes avant. Ses pattes sont formées de 4 doigts, qui sont très tactiles, et de coussinets sur la paume.

Rongeur herbivore, la marmotte doit dans les 6 mois d'activité se nourrir et accumuler suffisamment de graisse pour l'hiver. Son poids passera de 3,5 à 6 ou 7 kilos de graisse, graisse qu'elle brûlera pendant son hibernation. Son hibernation qui dure environ 6 mois n'est pas liée seulement aux conditions climatiques, mais aussi aux besoins d'alimentation lorsque les réserves de graisse s'épuisent. Six mois durant, la marmotte hiberne. Son corps vit au ralenti, sa température descend de 36 °C à 5 °C. Son cœur passe de 120 pulsations-minute à 30 pulsations.

Quand elle se réveillera en avril, elle aura perdu plus de la moitié de son poids. Certains hivers, où la neige et le froid persistent plus que la normale, peuvent être catastrophiques, la marmotte ne trouvant plus de nourriture et n'ayant plus de réserves de graisse.

Les bébés marmottes, appelés marmottons, naissent de fin mai à début juin. Les marmottes ont de 3 à 5 petits par portée. À la naissance, les marmottons mesurent à peine 3 cm et pèsent environ 30 g. Ils ont les yeux fermés et n'ont pas encore de poils. Les petits restent de un à deux mois dans leur terrier avant de sortir au mois de juillet.

Les LIVRES ne sont pas seulement faits de mots···

Ils sont remplis de lieux à visiter et de personnes à rencontrer.

Un cerveau effervescent et arborescent

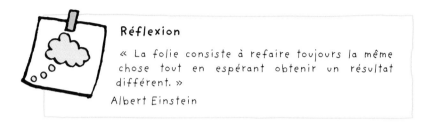

Réflexion

« La folie consiste à refaire toujours la même chose tout en espérant obtenir un résultat différent. »

Albert Einstein

Nous vivons une époque où innovation et créativité apparaissent comme étant de plus en plus nécessaires au développement économique des entreprises.

Ces entreprises mettent leur espoir dans les universités pour leur fournir des diplômés à la pointe de l'innovation. Or, s'il y a bien une chose que nous constatons, c'est que les universités, pas plus que l'école, n'apprennent pas aux élèves à être créatifs. Bien au contraire ! Nous rejoignons le constat et le combat de Ken Robinson* qui observe, non sans dépit, que l'école tue la créativité.

Si nous prenons la définition fournie par le Centre national des ressources textuelles et lexicales, la créativité c'est :

❏ la capacité, le pouvoir qu'a un individu de créer, c'est-à-dire d'imaginer et de réaliser quelque chose de nouveau ;

❏ la capacité de découvrir une solution nouvelle, originale, à un problème donné.

Comment voulons-nous que nos enfants apprennent à devenir créatifs si nous les conditionnons à toujours donner la bonne réponse prédéterminée ?

À l'école, il n'y a pas plusieurs manières de résoudre un problème de maths. L'enfant doit se conformer à un moule qui ne laisse aucune place à l'originalité.

Finalement, seuls les rebelles arrivent à cultiver leur créativité au risque d'être marginalisés et mis en échec. C'est ainsi que nous en sommes arrivés à croire qu'être créatif est un talent inné. On l'est ou on ne l'est pas. Pas d'entre-deux !

130

Or, faire preuve de créativité, ce n'est pas seulement être doué en art ou en musique. Nous avons tous en nous la capacité à faire fonctionner notre cerveau pour trouver des solutions nouvelles et résoudre des problèmes. C'est ce que nous appelons notre « fabrique à idées ».

★ La fabrique à idées

Notre cerveau est constitué de neurones qui s'interconnectent de façon dynamique. Il existe des centaines de milliards de connexions possibles ! C'est pour cela que nous disons que la pensée est un système dynamique arborescent. Une pensée entraîne trois autres pensées qui, elles-mêmes, en entraînent des dizaines chacune. Le système est exponentiel ! Pourquoi alors, ne pas utiliser ce magnifique potentiel et le faire grandir chez nos enfants ?

Comme le dit très justement John Steinbeck* : « Les idées sont comme les lapins. Il vous suffit d'en avoir quelques-uns et de savoir comment vous en occupez, et très vite vous en avez une douzaine. »

Mais alors, quels sont les facteurs qui inhibent cette créativité naturelle chez l'enfant ?

★ Des facteurs inhibants

Il existe plusieurs facteurs inhibants dont nous allons vous parler, dont la censure, le temps et l'environnement émotionnel.

L'un des premiers facteurs inhibants est donc **la censure**.

Réflexion

« D'un point de vue purement aérodynamique, le bourdon ne devrait pas être capable de voler. Mais il ne le sait pas, alors il vole quand même. »
Mary Kay Ash*

Comme le bourdon, les enfants se sentent capables de tout au départ. Ils sont force de propositions étonnantes, d'idées originales, pas toujours réalistes ou réalisables, mais ils s'autorisent à les formuler. Les adultes vont très vite les « ramener sur terre » et couper court à ce bel élan créatif.

Les adultes ont passé la barrière pour aller s'installer du côté du réalisé et du réalisable, du « ça se fait/ça ne se fait », du côté du cadre, structurant et sécurisant, mais souvent enfermant et limitant. Contrairement au bourdon, ils ne s'autorisent plus et n'osent même plus essayer.

En tant que parents, nous pouvons encourager la créativité de nos enfants en évitant de normaliser et de théoriser.

Tom Wujec, spécialiste canadien de la créativité et de la cohésion de groupe, a mis en place une expérience très intéressante intitulée « *The Marshmallow Challenge* ».

Elle a pour but d'encourager des équipes à vivre une expérience simple mais instructive de cohésion, d'innovation et de créativité.

En dix-huit minutes, chaque équipe doit construire la plus haute structure à partir de vingt spaghettis (crus), d'une ficelle d'environ un mètre, d'un ruban adhésif d'un mètre également et d'un chamallow. Le chamallow doit se retrouver tout en haut de la structure.

Tom Wujec a expérimenté ce challenge auprès d'une population très variée d'enfants de maternelle, de jeunes diplômés, de hauts dirigeants, d'architectes, d'ingénieurs, etc.

À l'issue de l'expérience, qui sont les plus mauvais dans la réalisation de cette tour ? Une idée ? Eh bien, ce sont les diplômés des écoles de commerce qui se révèlent trop conceptuels, trop prompts à théoriser, planifier, organiser et pas assez expérimentateurs.

Les enfants de maternelle réussissent quant à eux beaucoup plus brillamment car ils passent plus de temps à jouer et essayer. Ils commencent spontanément par piquer le chamallow sur plusieurs spaghettis, donnant déjà la structure de base, puis montent l'ensemble sans penser à de quelconques théories géométriques ou trigonométriques.

Les architectes et certains ingénieurs réussissent également assez bien ce challenge compte tenu de leurs formations spécifiques qui les aident sur ce type d'exercice. En effet, monter des structures fait partie de leur quotidien de travail.

Voyons maintenant le deuxième facteur inhibant qui réduit la créativité, à savoir **le temps**.

Nous aimerions avoir des idées originales qui jaillissent rapidement, telle la lave d'un volcan en éruption. Néanmoins, notre société est pressée, comme le lapin d'*Alice aux pays des merveilles*. Il « faut » aller vite ! À cette première injonction vient s'ajouter celle de « bien faire », c'est-à-dire sans faute.

En résumé : faire vite et bien ! Notre course folle et effrénée contre la montre nous amène, nous adultes, à presser nos enfants pour tout. Il faudrait tout faire vite : s'habiller, lacer ses chaussures, prendre sa douche, faire ses devoirs, se mettre au lit, etc.

Outre le fait que ce système stresse parents et enfants, il entrave considérablement l'exploration des idées et la créativité.

Or, être créatif demande du temps !

À ce propos, nous voulons partager une petite expérience menée par Cafe Creative, une agence de créativité hongroise.

Afin d'expliquer à ses clients qu'il faut du temps pour être créatif, cette agence a eu l'idée de faire une expérience avec des enfants. Dans un premier, les enfants disposent de dix secondes pour dessiner une horloge. Dans un second temps, ils disposent de dix minutes.

Les résultats sont étonnants !

Au bout de dix secondes, la plupart des dessins sont assez similaires et représentent de façon basique deux aiguilles et quelques chiffres.

Mais après dix minutes, la deuxième vague de dessins est beaucoup plus originale que la première : les enfants ont réinventé l'horloge qu'ils ont transformée en animal, fleur ou cerf-volant (pour visionner le petit film réalisé à cette occasion, rendez-vous à l'adresse suivante : http://youtu.be/jgvx9OfZKJw).

Le troisième facteur qui inhibe la créativité de nos enfants, comme nous avons pu le découvrir dans les chapitres précédents, est **l'environnement et l'état physique et émotionnel**. En effet la fatigue, les tensions physiques et morales, le bruit, la monotonie et les émotions négatives sont autant d'entraves à la créativité.

✶ Des facteurs favorisants

Maintenant que vous connaissez ces trois facteurs limitants, il vous suffit de considérer leur contraire pour connaître et favoriser les facteurs qui, eux, favorisent leur belle énergie créative :

☐ **L'autorisation de laisser libre court** à son imagination, celle de se tromper, de dire toutes les choses qui nous passent par la tête sans avoir peur d'être jugé.

☐ **Laisser le temps** au temps !

☐ **Prendre soin** de ses besoins physiologiques, favoriser une ambiance calme propice au travail créatif, varier les lieux d'apprentissage et éviter le stress et les conflits.

134

Cas pratique : petite analogie pour favoriser la créativité

Votre ado est dans sa chambre et crie à travers tous les murs de la maison : « Maaaaaaman, je trouve plus mon tee-shirt ! Tu sais, le bleu avec la tête de mort dans le dos ! »

Au bout de trois éructations, vous allez le retrouver et vous assistez à une scène qui relève du comique. Votre ado est devant une armoire qui ressemble plus à un tambour de machine à laver tant les vêtements sont mélangés.

« Ça fait une heure que je le cherche ! » Nous savons bien que cela fait dix minutes en réalité. Néanmoins, nous pouvons penser qu'en dix minutes, il aurait eu le temps de trouver son fameux tee-shirt top tendance. Pourquoi ne le trouve-t-il pas alors ?

La réponse est simple et universelle : il trifouille les vêtements qui sont à sa portée afin d'éviter de mettre encore plus de bazar.

En voyant le chaos régnant dans l'armoire, que faites-vous ? Vous videz l'armoire par grandes brassées. Les vêtements sont éparpillés par terre au milieu de la chambre. Et là, ô miracle ! le tee-shirt apparaît sous l'effet miraculeux de la vue d'ensemble.

Pour que cet épisode ait une vertu éducative et constructive, vous allez, bien évidemment, demander à votre ado de trier ses affaires par genre et par saison, tant qu'à faire. Une fois les habits rassemblés en piles cohérentes, il n'aura plus qu'à les ranger dans son armoire en respectant certains critères d'organisation (saison, fréquence d'utilisation, etc.).

Cette organisation lui permettra de retrouver plus facilement ses affaires la prochaine fois, si d'ici là un tsunami n'a pas encore frappé.

Cet exemple illustre à merveille le processus créatif. Si je veux accéder à une information dont j'ai besoin, ou trouver une nouvelle idée, je vais devoir m'autoriser à « éparpiller » toutes les idées et informations que j'ai à ma disposition, sans censure. Je fais l'inventaire. La vue d'ensemble permettra de faire émerger « l'idée ». Si je veux que ma démarche soit efficace et durable, j'aurai besoin de trier, organiser, catégoriser et parfois jeter certaines idées pour alléger mon cerveau.

Enfin, pour que cette phase créative aboutisse à une réalisation (résolution de problème, par exemple), je dois toujours structurer ma réflexion en prenant compte des contraintes existantes et garder toujours l'objectif en vue.

LE P'TIT ARISTOTE DESSINE DES ARBRES

- Le Mind Mapping, qu'est-ce que c'est ?
- Les bénéfices du Mind Mapping
- Comment ça marche ?
- Le Mind Mapping en maternelle, au primaire et au secondaire
- Le Mind Mapping et les troubles d'apprentissage

C'est l'histoire (complètement anachronique) d'Aristote qui assiste au café-philo de Socrate. Il se dit : « Purée [oui, ils disaient déjà "purée" à l'époque, bien avant la naissance de monsieur Parmentier] ce Socrate, il est trop fort avec toutes ces questions ! » Comme le p'tit Aristote, par ailleurs fana de nature, aimait dessiner des arbres, il se dit : « Bon sang mais c'est bien sûr ! Pourquoi je n'accrocherais pas ces questions à des branches et les réponses à d'autres ? » Et c'est ainsi qu'est né le concept de l'arborescence d'idées. C'est un peu rapide, certes, mais suffisant pour comprendre le principe : Questions + Arborescence d'idées = Mind Mapping.

Le Mind Mapping au service de la Pédagogie positive®

Découvrons maintenant ce qu'est le Mind Mapping, outil puissant d'apprentissage. Voyons aussi ses bénéfices et comment il sert la démarche de la Pédagogie positive®.

★ Qu'est-ce que le Mind Mapping ?

Mind en anglais signifie « l'esprit » au sens du cerveau qui réfléchit. *Map* veut dire « carte ». Le Mind Mapping est donc ce que nous avons choisi d'appeler « la cartographie du cerveau qui réfléchit ».

Ce principe a été théorisé par le psychologue anglais Tony Buzan dans les années 1970. Il consiste à représenter l'information de manière spatiale, visuelle et graphique sur une feuille au format paysage, contrairement à la représentation linéaire en mode portrait, représentation traditionnelle dans l'apprentissage, mais qui ne correspond pas à la structure de notre cerveau.

En effet, notre cerveau n'empile pas les idées les unes au-dessus des autres, comme nous l'avons dit précédemment, mais fonctionne par associations d'idées, créant une arborescence dynamique et simultanée.

Certains disent que ces représentations ressemblent à des arbres, des araignées ou des pieuvres. En France, les noms également employés pour parler du Mind Mapping sont : la carte mentale, la carte d'organisation d'idées, voire heuristique, ou schémas centrés. Notre préférence va au nom d'origine et à la traduction que nous lui en donnons, et que les enfants adorent lorsqu'ils disent : « je fabrique la carte de mon cerveau qui réfléchit. »

Nous choisirons de nommer « Mind Map® », « carte » ou encore « Map », les cartes dans les explications qui suivent.

★ Les bénéfices du Mind Mapping

Si la Pédagogie positive® consiste à rendre ludique et écologique (comprenez « saine ») notre manière d'apprendre, alors le Mind Mapping est un des outils que nous aimons particulièrement car il peut être qualifié d'outil « cerveau total ». Qu'entendons-nous par « cerveau total » ?

Notre cerveau est composé de deux hémisphères qui travaillent de concert, mais qui ont chacun leurs spéci-ficités. Pour sim-plifier, l'hémisphère gauche traite les mots, la logique, le détail, l'analyse, tandis que l'hé-misphère droit prend en charge les formes, les couleurs, l'espace, la synthèse. Le Mind Map-ping utilise harmonieusement l'ensemble des fonctions de nos deux hémis-phères. Il utilise l'es-pace d'une feuille, des formes, des couleurs, des mots, de la structure, une vision d'ensemble et des petits détails, des images et du mouvement.

C'est un outil qui non seulement respecte le fonctionnement naturel de notre cerveau, mais favorise également la mise en liens de nos idées, d'où une meilleure compréhension.

Si nous organisons les informations dans l'espace d'une feuille, nous créons comme des réseaux, des ramifications qui reproduisent la manière dont le cerveau se connecte en permanence.

Comme l'explique Virginie Caplet dans son excellent livre *Petit précis de créativité* (voir bibliographie, page 191), « il ne suffit pas de faire appel à son cerveau droit et d'imaginer une solution, il faut faire appel à son cerveau gauche, la partie du cerveau qui prend en charge la réalisation ».

Dans l'apprentissage, le travail conjoint des deux hémisphères permet de mobiliser à la fois la compréhension et la réalisation. C'est pourquoi, le Mind Mapping présente de très nombreux bénéfices sur les cinq gestes d'apprentissage et améliore de fait considérablement les qualités d'attention, de réflexion, de compréhension, de mémorisation et d'imagination.

Dans son excellent blog (voir sitographie page 192), Philippe Boukobza, consultant-formateur et spécialiste du Mind Mapping, nous rappelle, dans l'article reprenant l'étude de l'université de Cordoue, que les cartes mentales améliorent les capacités cognitives (compréhension, organisation de l'information, capacité de réflexion) et les compétences sociales (estime de soi, socialisation des connaissances).

En effet, cette étude montre que l'utilisation de l'image, la structuration des idées, les idées clés, etc. permettent une utilisation des ressources cognitives plus écologique et moins fatigante, ainsi qu'une mémorisation plus importante.

Par ailleurs, la carte est la représentation visuelle de réponses à des questions ouvertes, notre fameux CQQCOQP. Il est alors impossible de réaliser une carte sans en comprendre le contenu. Si je sais répondre aux questions, j'en ai compris le sens.

Prenez le temps de découvrir la carte « Le Mind Mapping pour apprendre à apprendre », vous pourrez d'un seul coup d'œil vous familiariser avec cette approche innovante et aidante pour les apprentissages.

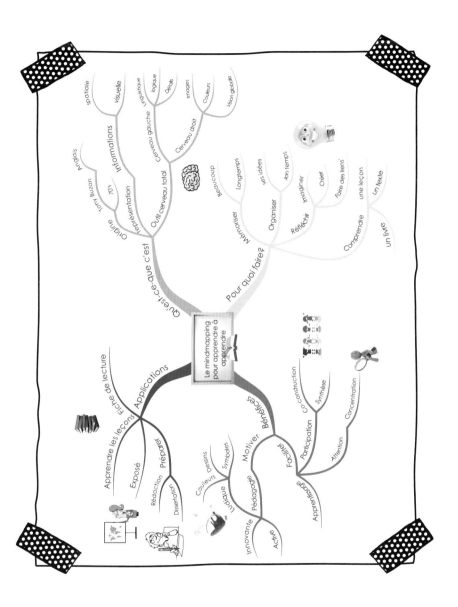

LE P'TIT ARISTOTE DESSINE DES ARBRES

La mémorisation, comme nous allons le voir juste après, est rendue plus facile et de plus longue durée car la carte utilise l'association, l'imagination, la couleur, la spatialisation des éléments qui favorisent une mémoire de qualité.

Pour expliquer aux enfants, aux ados, et même à leurs parents, comment fonctionne notre mémoire (devrions-nous dire nos mémoires), nous choisissons toujours l'analogie avec l'expression « avoir une mémoire d'éléphant ».

Si « avoir une mémoire d'éléphant » signifie « avoir une bonne mémoire », nous leur expliquons aussi que la mémoire dudit éléphant n'a pas la même taille selon que nous parlons de la mémoire de travail ou de la mémoire à long terme.

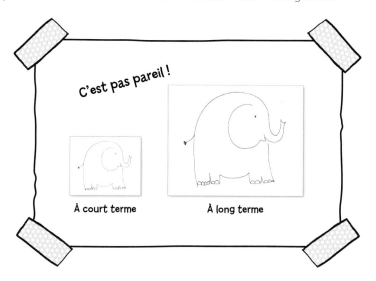

C'est pas pareil !

À court terme   À long terme

La **mémoire de travail** est comme un petit éléphant. C'est celle qui nous permet de capter les informations que nous percevons sur le moment et cela pour une durée limitée. Si elle est efficace, cela signifie que nous possédons de très bonnes capacités d'attention et de concentration. Mais les informations stockées au cours de la journée vont disparaître pour laisser de la place aux suivantes.

Aussi est-il très important, si ces informations doivent nous servir pour plus tard, de ne pas les perdre et de les enregistrer dans sa mémoire à long terme.

La **mémoire à long terme**, quant à elle, peut être considérée comme la mémoire du souvenir. Contrairement à une croyance fort répandue, les informations n'y sont pas rangées dans des petits tiroirs mais se « reconstituent » à la demande, d'autant plus vite que nous les aurons mémorisées plusieurs fois et de manières différentes.

Cette mémoire à long terme fait appel aux cinq sens et aux émotions. Elle aime les petites histoires, les anecdotes et est très sensible à l'humour, au burlesque et à tout ce qui est saugrenu.

En conclusion, sortons de la fâcheuse habitude de la répétition monocorde et linéaire des leçons et mettons de la vie, de l'humour et de l'originalité dans notre mémorisation. La manière de faire est différente, ludique et beaucoup plus efficace, et au bout du compte le contenu mémorisé reste le même.

Astuce : la réactivation

On dit qu'il faut au moins trois « passages » sur un sujet pour pouvoir s'en souvenir efficacement. Il est donc nécessaire de faire préexister dans sa tête (c'est-à-dire réactiver en évoquant) à intervalles réguliers : le soir même, le lendemain, la semaine suivante... Une Mind Map est donc le support idéal d'une réactivation rapide, ludique et efficace. À force de l'utiliser, la Mind Map « s'imprime » dans la mémoire facilement.

Pour continuer à explorer notre mémoire d'éléphant, nous vous proposons de découvrir la carte intitulée « Mémoire comment ça marche ? », qui permet de comprendre qu'une bonne mémoire est principalement une question d'association et d'imagination.

Notre mémoire fonctionne beaucoup mieux si nous utilisons tous nos sens. Nous exagérons au maximum ce que nous devons mémoriser si nous mettons de la couleur, du mouvement, des symboles et si nous mettons de l'ordre dans nos idées.

Imprimez cette jolie carte et partagez-la avec vos enfants, vos amis, votre amoureux/reuse et réconciliez-vous avec votre mémoire d'éléphant.

Comme nous l'avons vu, la mémoire a besoin de plusieurs passages pour consolider les connexions neuronales. La carte est un excellent moyen de réactiver les connaissances :

❑ en suivant avec le doigt les informations, pour ceux dont la dimension kinesthésique est prédominante ;

❑ en parlant et en racontant ce qu'elle contient, pour ceux qui ont une préférence verbale ;

❑ en photographiant à nouveau les éléments qu'elle contient, pour ceux qui ont un profil plus visuel.

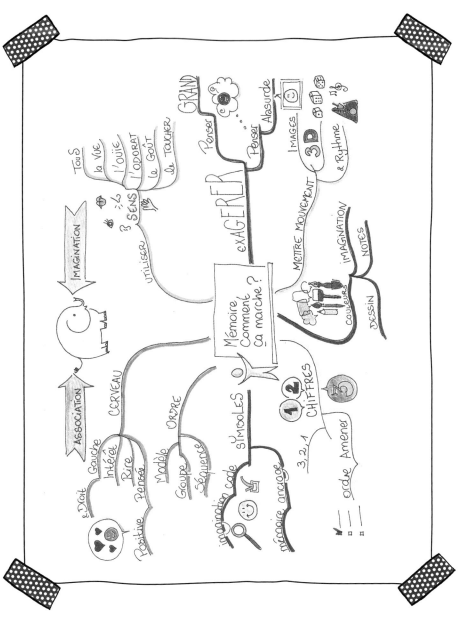

LE P'TIT ARISTOTE DESSINE DES ARBRES

★ Comment fabrique-t-on une Mind Map® ?

Le premier outil indispensable pour réaliser une Mind Map® est notre cerveau en bonne disposition d'apprentissage (voir les chapitres 5, 6 et 7).

La deuxième chose, que nous appelons le moteur de la Mind Map®, est notre questionnement ouvert, car sans questionnement, pas de connexions.

Et enfin, nous avons également besoin des outils suivants, qui sont plus faciles à mettre en œuvre, comme une feuille de papier et un stylo en état de marche.

La carte intitulée « La carte de la carte » est en quelque sorte le mode d'emploi d'une Mind Map®. Regardez la carte et lisez les étapes qui suivent en démarrant de la branche en haut à droite (intitulée Feuille) :

❑ **Étape 1 :** prenez une feuille, vierge sans ligne, au format paysage qui permet une meilleure vision périphérique et un traitement optimal du balayage binoculaire.

❑ **Étape 2 :** placez le sujet principal au centre de la feuille, également appelé le cœur de la carte. Veillez à ce que ce sujet soit le plus précis possible. Par exemple, si votre enfant travaille sur une leçon d'histoire, il sera préférable, pour que les idées jaillissent, d'écrire le titre exact « La paysannerie au Moyen Âge », plutôt que « Histoire ». Le sujet principal sera écrit dans une forme vaporeuse, comme un petit nuage, ou sera complété par une illustration.

❑ **Étape 3 :** tracez les branches autour du cœur pour créer l'arborescence d'idées. On dit que les premières branches, dites principales, qui partent du cœur sont celles qui portent les thèmes, les petites branches suivantes, dites secondaires, portent les idées qui se rapportent au thème. À chaque nouvelle idée, une nouvelle branche qui sera de la longueur du mot qu'elle supporte. Les branches seront le plus horizontales possibles pour permettre une bonne lisibilité. L'information doit être traitée rapidement sans avoir besoin ni de tourner la tête, ni de tourner la feuille pour lire les informations.

❑ **Étape 4 :** écrivez les mots sur les branches, pas au bout et pas dessous non plus. Notre regard est guidé par les lignes et cueille les informations. La branche

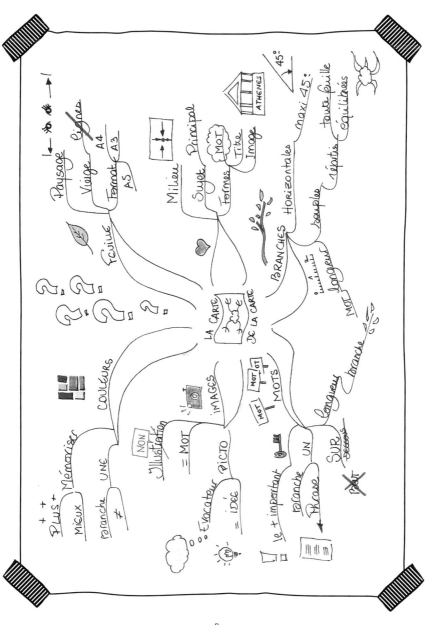

LE P'TIT ARISTOTE DESSINE DES ARBRES

et le mot constituent une unité d'information indissociable. Le mot doit être le plus lisible possible, gare aux pattes de moucherons que les arbres n'apprécient pas. Dans une Map, le mot est une idée clé qui ouvre la porte au reste de l'information qui roupille tranquillement dans notre tête et qui attend qu'on la sollicite. Aussi, inutile d'écrire de longues phrases qui nous replaceraient dans un traitement linéaire de l'information. Le mot-clé suffit.

❑ **Étape 5 :** ajoutez des images. Nul besoin d'être un Van Gogh pour réaliser des petits pictogrammes simples et qui évoquent facilement l'idée pour celui qui réalise sa carte. Il ne s'agit pas d'une illustration pour faire joli. Un pictogramme est aussi important qu'un mot, c'est une information en soi, d'où la célèbre phrase de Confucius « Une image vaut mille mots ». L'image fait appel à nos émotions et à nos sens, et de ce fait est un formidable vecteur de mémorisation.

❑ **Étape 6 :** ajoutez de la couleur sur les branches. La couleur n'a pas qu'une valeur décorative, elle a une valeur esthétique au sens étymologique du terme, ce qui signifie qu'elle procure des sensations. Ce qui nous ramène à nouveau à la mnémonique (ça fait classe dans les dîners mais cela signifie simplement que ça permet de mieux mémoriser) et à une dimension de plaisir.

Essayez et reportez-vous à « La carte de la carte ». Notre but n'est pas de faire de vous des experts du Mind Mapping, mais des praticiens imparfaits et opérationnels. Sachant que, vous le verrez, les enfants ont beaucoup moins de résistance et de jugement autocritique et se lancent très facilement dans l'exercice.

Astuce : le pouvoir des images sur la mémorisation

Reprenons le cas d'Hannah et des 16 chefs d'État à apprendre pour le lendemain (page 97). Pour aider Hannah à mémoriser rapidement, nous sommes parties d'une feuille blanche. Nous avons tracé la frise chronologique avec le nom des chefs d'État. Pour chaque nom à retenir, nous avons demandé à Hannah : « À quoi te fait penser Mac Mahon ? ». Réponse : « À McDonald's. » « Très bien ! Alors dessine en dessous du nom un dessin qui t'évoque le McDo ». Hannah a dessiné le fameux « M » jaune bien connu. Nous avons procédé ainsi pour chacun des 16 noms. Raymond Poincaré a donné « un point dans un carré », Paul Deschanel, le sigle de la marque de Coco, etc.

Une fois les dessins effectués, nous avons refait l'exercice à l'envers en partant du dessin pour retrouver le nom.

En trente minutes, Hannah avait mémorisé l'ensemble des 16 noms. Elle a réussi à en restituer 15 sur 16 le lendemain.

Le Mind Mapping appliqué

On l'a vu, le Mind Mapping est un outil qui utilise les ressources naturelles de notre tête, de notre cœur et de notre corps. Notre vision périphérique, l'ensemble de notre cerveau, nos sens… sont ainsi mobilisés dans la mise en œuvre des Maps.

C'est pourquoi, même si nous pensons qu'un enfant peut commencer à réaliser des cartes par lui-même à partir de neuf ou dix ans, il n'y a pas vraiment d'âge pour comprendre une carte.

149

L'intérêt de la carte est la possibilité de la co-consuire avec son enfant. Vous êtes celui qui tiendra le stylo pour tracer la carte, certainement celui qui questionnera, mais votre enfant vous fournira les réponses, pourra colorier les branches et dessiner les pictogrammes tout en mémorisant sans se rendre compte d'un quelconque effort.

Au niveau émotionnel, c'est un levier formidable car nous entendons souvent les enfants nous dire : « C'est marrant, on s'amuse et en même temps on comprend et on apprend. » La sensation de ne pas avoir à faire un effort insurmontable et le plaisir de découvrir que les informations se sont rangées dans la tête avec facilité augmente la motivation.

✱ Le Mind Mapping avec les tout-petits

On nous demande souvent à partir de quel âge les Maps peuvent être utilisées. Nous répondons volontiers qu'avec un peu d'imagination et en privilégiant l'utilisation des images, nous pouvons tout à fait construire de jolies cartes avec des petits à partir de trois ans.

Voici un exemple de carte en couleurs pour aider un petit « nenfant » à se repérer dans les différents temps de sa journée.

De la même manière, nous pouvons imaginer une carte des « jolis mots », ceux qui aident à mieux communiquer, qui réchauffent le corps et font plaisir, qui stimulera l'envie de les utiliser.

Ces cartes peuvent être plastifiées et affichées sur le frigo. C'est un moyen de communication ludique, visuelle et très facilement compréhensible avec les tout-petits. La carte peut aussi être un formidable outil pour aider l'enfant à reconnaître et exprimer sa météo émotionnelle. Si les mots manquent pour dire ce que l'on ressent, on peut montrer sur la carte l'émotion qui nous traverse. Un bon démarrage pour débuter un dialogue.

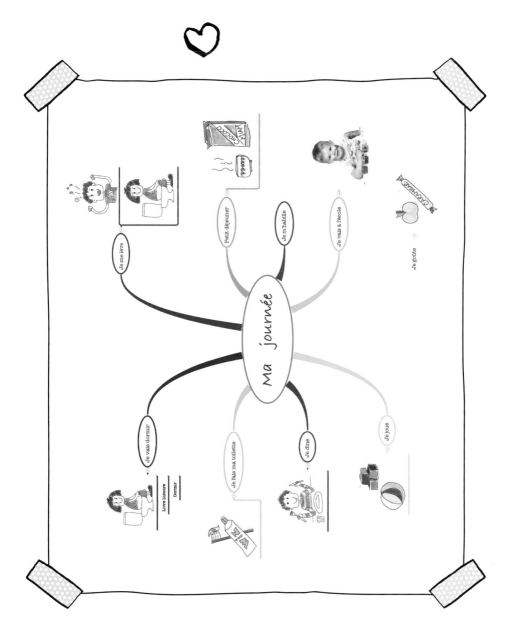

LE P'TIT ARISTOTE DESSINE DES ARBRES

APPRENDRE AVEC LA PÉDAGOGIE POSITIVE

Mes émotions

Calme · Fier · Surpris · Joyeux · Dégoûté · Apeuré · En colère · Triste

LE P'TIT ARISTOTE DESSINE DES ARBRES

★ Le Mind Mapping au primaire

Nous constatons que beaucoup d'élèves de primaire mémorisent par cœur les leçons mais n'en comprennent pas forcément les liens avec les exercices demandés.

Beaucoup de parents s'étonnent d'ailleurs de ce que leur enfant, alors même que la leçon est bien apprise, ne réussit pas à appliquer ce qu'il a si bien mémorisé.

La carte est alors un excellent outil de compréhension et peut servir de carte-outil dans la réalisation des exercices. Cette jolie carte sur l'adjectif qualificatif construite par Véronique, enseignante de CM1-CM2 (nous retrouverons Véronique dans le chapitre suivant, page 172), en est le parfait exemple. Les élèves travaillent la leçon avec leur maîtresse, puis synthétisent ce qu'ils ont compris en classe entière. La carte est l'aboutissement d'un travail de compréhension. Les pictogrammes ont été choisis de manière collective pour créer un code commun à la classe.

Pour l'anecdote, cette carte nous a d'ailleurs permis de comprendre, alors que nous avons fini notre CM1 depuis longtemps, la signification et l'utilisation de l'épithète et de l'attribut. Il n'est jamais trop tard !

Ne vous laissez pas impressionner en vous disant que vous ne saurez pas faire aussi bien. Au contraire, ces cartes doivent vous servir d'inspiration. La meilleure carte sera toujours celle que vous construirez vous-même ou avec votre enfant.

Vous voulez savoir comment vous pouvez faire pour réaliser une carte avec votre enfant à partir de ses leçons ?

Eh bien reprenons le texte de la marmotte du chapitre précédent (voir page 128). Si vous avez fait une lecture active en catégorisant les informations essentielles par thématique, vous pouvez maintenant réaliser une carte, comme l'exemple que nous vous proposons page 157, et accrocher les informations trouvées dans le texte. Il ne vous reste plus qu'à agrémenter votre carte de jolis pictogrammes.

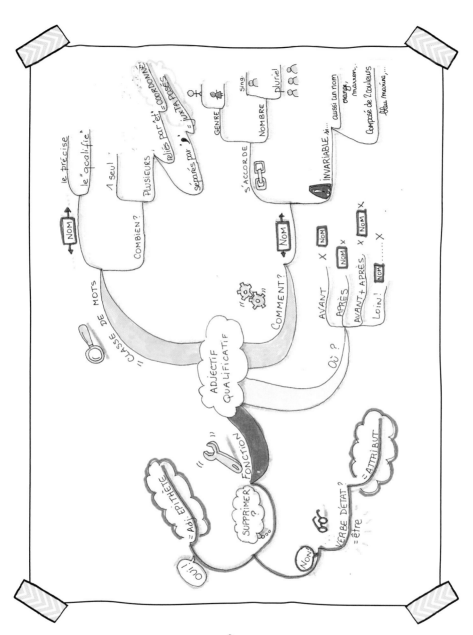

LE P'TIT ARISTOTE DESSINE DES ARBRES

Voici un autre exemple de carte sur le triangle, réalisée par la même classe sur un sujet de géométrie.

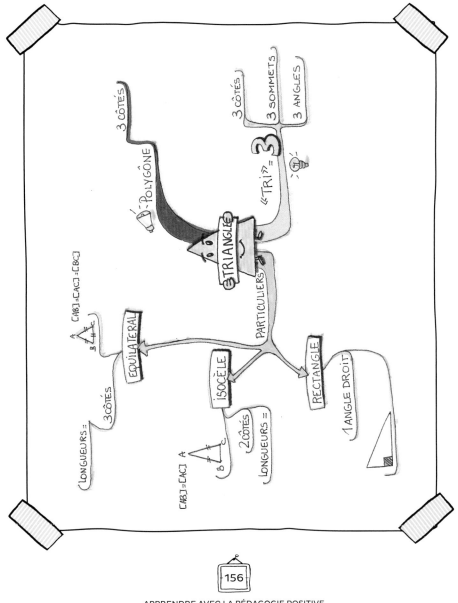

APPRENDRE AVEC LA PÉDAGOGIE POSITIVE

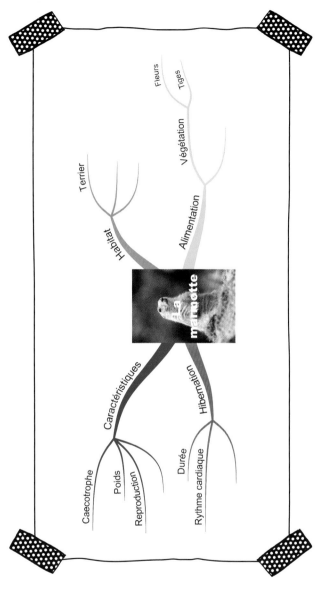

Bien évidemment, il en va de même pour toutes les leçons. Alors à vos crayons, et bon travail collaboratif avec votre enfant.

★ Le Mind Mapping au secondaire

Arrivés au collège, et d'autant plus au lycée, nos enfants ne sont plus soumis aux mêmes objectifs qu'en primaire. Ils ne peuvent plus simplement faire appel à leur mémoire. Il leur est maintenant demandé d'analyser, d'argumenter, de faire des liens entre leurs différentes connaissances. Par exemple, les programmes de français et d'histoire sont interconnectés dès la 6e.

La pratique du Mind Mapping, à ce stade, va considérablement les aider à acquérir et mettre en œuvre ces nouvelles compétences.

L'utilisation de la carte, comme outil de mémorisation, reste d'actualité. Au lieu de faire des fiches, qui ne sont qu'une pâle recopie du cours, le Mind Mapping va permettre à l'enfant de transformer, de reformuler et donc de s'approprier les informations. Si l'on part du principe qu'une carte n'est réalisable que si l'on comprend ce que l'on y met, le bénéfice est double : mémorisation et compréhension simultanées.

Dans le secondaire, nous apprécions particulièrement les cartes méthodologiques qui permettent, d'un seul coup d'œil, de saisir les objectifs d'une tâche et la manière de les atteindre.

La carte intitulée « Résoudre un problème mathématique » a été réalisée par Joëlle, professeur agrégée de mathématiques en collèges et lycées, qui accompagne également des élèves en remédiation cognitive*. Nous pouvons observer que sa carte est un vrai GPS pour construire une démarche scientifique. Joëlle n'a pas oublié de prendre en compte la dimension émotionnelle puisque sa carte présente une branche « antistress ».

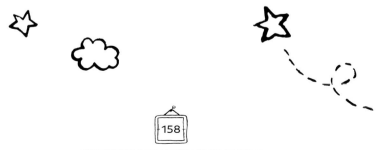

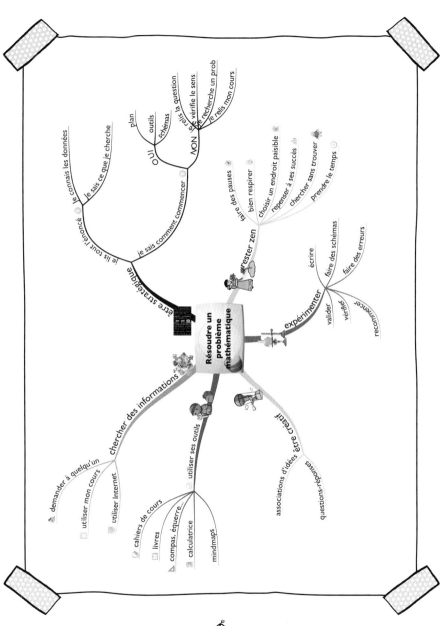

Résoudre un problème mathématique

être stratégique
- je lis tout l'énoncé
  - je sais comment commencer
    - je sais ce que je cherche
    - je connais les données
      - OUI
      - NON
        - plan
        - outils
        - schémas
        - je lis la question
        - je vérifie le sens
        - je recherche un prob
        - je relis mon cours

rester zen
- faire des pauses
- bien respirer
- choisir un endroit paisible
- repenser à ses succès
- chercher sans trouver
- prendre le temps

expérimenter
- écrire
- faire des schémas
- faire des erreurs
- valider
- vérifier
- recommencer

être créatif
- associations d'idées
- questions-réponses

utiliser ses outils
- cahiers de cours
- livres
- compas, équerre...
- calculatrice
- mindmaps

chercher des informations
- demander à quelqu'un
- utiliser mon cours
- utiliser Internet

LE P'TIT ARISTOTE DESSINE DES ARBRES

La carte intitulée « 1914-1945, Guerres, démocraties, totalitarisme » permet d'avoir une vue d'ensemble du programme d'histoire de 3e.

Lorsque nous posons la question à des collégiens : « Que vas-tu faire cette année en… histoire, maths, SVT… ? », il nous arrive souvent d'entendre comme réponse un « pfff » qui en dit long sur le flou artistique concernant l'objectif et les étapes à venir. Remercions quand même ces jeunes ados d'être assez sympathiques pour suivre l'enseignant sans connaître la destination.

Préparer une « carte-programme » aide votre enfant à se projeter dans les apprentissages à venir. Elle permet de savoir où il se situe dans l'avancement du programme. Il peut également prévoir les étapes à venir.

Au lycée, les enjeux augmentent et les échéances s'accélèrent. La quantité d'informations à ingérer devient pantagruélique et peut conduire à de forts découragements.

L'utilisation de la carte devient, dès lors, un outil parfait de révision et de planification. La « carte-programme » reste d'actualité, comme au collège, et elle est encore plus utile à partir de la classe de 1re pour la planification des révisions d'examens à venir.

Pour le lycée, nous avons choisi de vous donner en exemple une carte de révision du bac de français présentant les mouvements littéraires. Cette carte réalisée avec un logiciel contient une somme importante d'informations. Si la carte est imprimée en totalité, elle n'est pas lisible. Il faut donc choisir d'imprimer les branches individuellement.

Nous ne pouvons détailler l'utilisation du logiciel ici, mais elle peut s'acquérir très rapidement en une journée avec une simple formation.

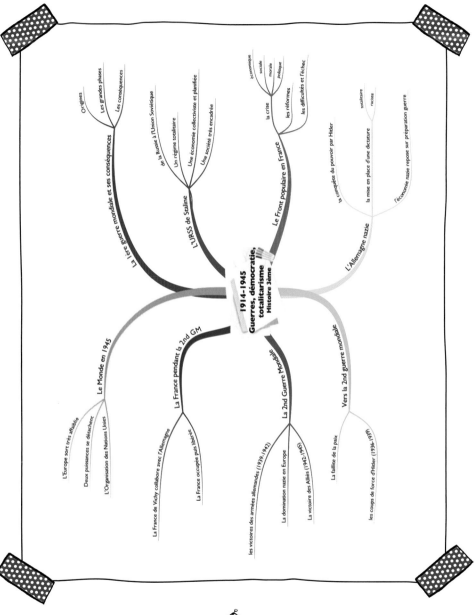

**1914-1945
Guerres, démocratie, totalitarisme
Histoire 3ème**

La 1ère guerre mondiale et ses conséquences
- Origines
- Les grandes phases
- Les conséquences

L'URSS de Staline
- de la Russie à l'Union Soviétique
- Un régime totalitaire
- Une économie collectiviste et planifiée
- Une société très encadrée

Le Front populaire en France
- la crise
  - économique
  - sociale
  - morale
  - politique
- les réformes
- les difficultés et l'échec

L'Allemagne nazie
- la conquête du pouvoir par Hitler
- la mise en place d'une dictature
  - totalitaire
  - raciste
- l'économie nazie repose sur préparation guerre

Le Monde en 1945
- L'Europe sort très affaiblie
- Deux puissances se détachent
- L'Organisation des Nations Unies

La France pendant la 2nd GM
- La France de Vichy collabore avec l'Allemagne
- La France occupée puis libérée

La 2nd Guerre Mondiale
- les victoires des armées allemandes (1939-1942)
- La domination nazie en Europe
- La victoire des Alliés (1942-1945)

Vers la 2nd guerre mondiale
- La faillite de la paix
- les coups de force d'Hitler (1936-1939)

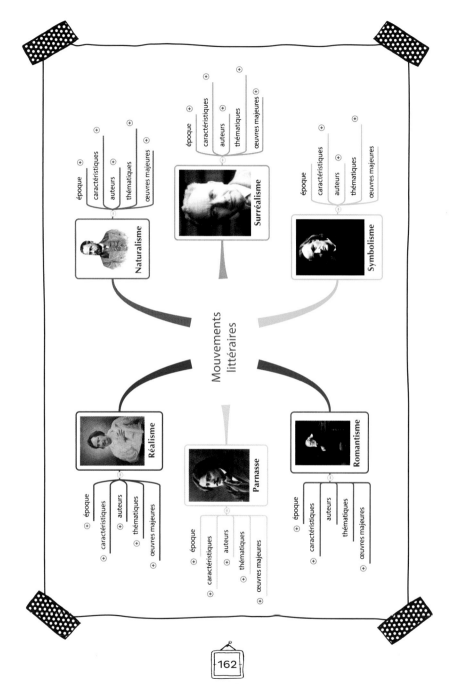

Mouvements littéraires

Naturalisme
- époque
- caractéristiques
- auteurs
- thématiques
- œuvres majeures

Surréalisme
- époque
- caractéristiques
- auteurs
- thématiques
- œuvres majeures

Symbolisme
- époque
- caractéristiques
- auteurs
- thématiques
- œuvres majeures

Réalisme
- époque
- caractéristiques
- auteurs
- thématiques
- œuvres majeures

Parnasse
- époque
- caractéristiques
- auteurs
- thématiques
- œuvres majeures

Romantisme
- époque
- caractéristiques
- auteurs
- thématiques
- œuvres majeures

APPRENDRE AVEC LA PÉDAGOGIE POSITIVE

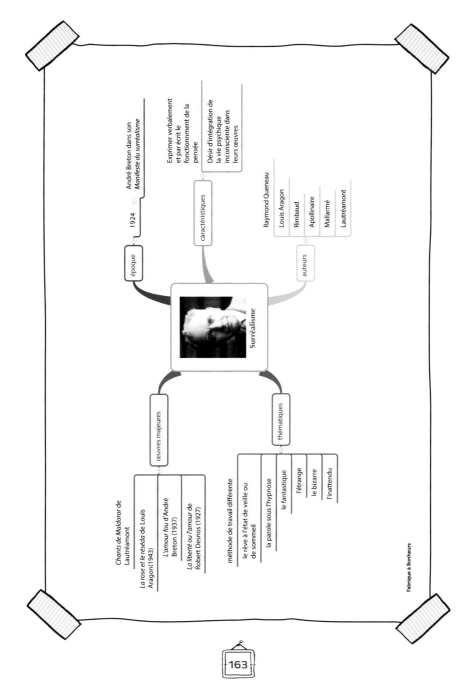

Surréalisme

époque
- 1924
  - André Breton dans son *Manifeste du surréalisme*

caractéristiques
- Exprimer verbalement et par écrit le fonctionnement de la pensée
- Désir d'intégration de la vie psychique inconsciente dans leurs œuvres

auteurs
- Raymond Queneau
- Louis Aragon
- Rimbaud
- Apollinaire
- Mallarmé
- Lautréamont

œuvres majeures
- *Chants de Maldoror* de Lautréamont
- *La rose et le réséda* de Louis Aragon (1943)
- *L'amour fou* d'André Breton (1937)
- *La liberté ou l'amour* de Robert Desnos (1927)

thématiques
- méthode de travail différente
- le rêve à l'état de veille ou de sommeil
- la parole sous l'hypnose
- le fantastique
- l'étrange
- le bizarre
- l'inattendu

Fabrique à Bonheurs

La carte peut également être un moyen efficace de « penser » une dissertation. Elle sera utilisée comme brouillon. Voici l'exemple d'une carte (« Conséquences économiques et politiques du régime stalinien ») réalisée pour construire une dissertation à partir de documents à analyser.

Pour créer les branches principales, l'élève peut reprendre les directions (mots-clés) contenues dans le sujet. Cela va lui permettre, dans un premier temps, d'y accrocher toutes les connaissances mémorisées à partir de son cours.

Dans la branche Introduction, il pourra déposer ses connaissances concernant le contexte historique (où ? quand ? qui était Staline ?). Puis dans les autres branches, il pourra déposer toutes ses connaissances sur les politiques économiques, la mise en œuvre et ce qu'il sait des conséquences. Il en fera de même pour les conséquences politiques. La dernière branche, intitulée ici « Conclusion », peut être laissée vide et trouvera son utilité car le cerveau déteste le vide et se souciera de la remplir.

Une fois qu'il a réalisé l'exercice de rapatriement de ses connaissances à partir du cours, l'élève peut ensuite aller « à la pêche » aux idées dans les documents à analyser. Il peut d'ailleurs utiliser une couleur différente pour accrocher ces nouvelles informations à la branche adéquate.

L'ensemble lui permet ensuite de pouvoir construire un plan bien structuré et de ne pas s'écarter du sujet.

Le Mind Mapping est également un outil réversible :

❑ Il permet de partir d'un texte, d'une leçon, d'un document pour construire une carte qui facilite la compréhension et la mémorisation.

❑ Il permet également, à partir d'une carte, d'amener à la rédaction linéaire d'un résumé, d'une dissertation, d'un commentaire. Ce livre est d'ailleurs le résultat rédigé d'une préparation détaillée et structurée sous forme de cartes.

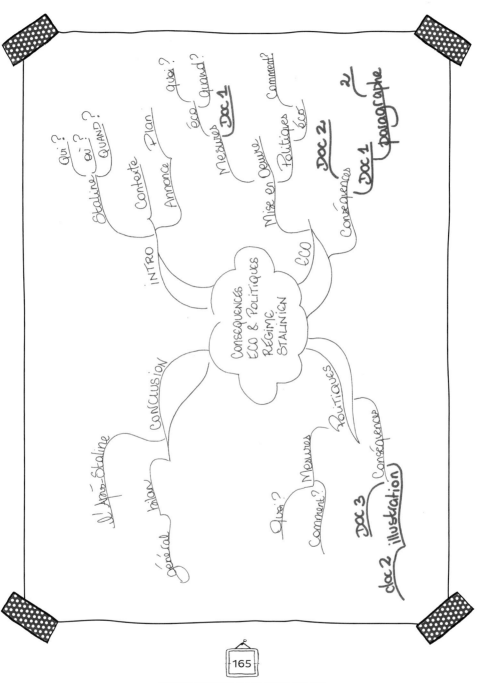

LE P'TIT ARISTOTE DESSINE DES ARBRES

★ Le Mind Mapping et les troubles d'apprentissage

Le Mind Mapping est un outil à l'efficacité redoutable pour pallier les difficultés de mémorisation des enfants souffrant de dys- (lexie, praxie, phasie). Les parents qui découvrent l'apprentissage avec le Mind Mapping respirent autant que leurs enfants car le temps des devoirs est diminué, les apprentissages sont facilités, et les enfants sont beaucoup moins fatigués et découragés.

Pour les élèves souffrant de troubles dyslexiques*, la spatialisation des informations facilite la mémorisation. L'utilisation des mots clés les aide à ne plus se sentir noyés dans l'ensemble des mots de la phrase, ce qui ralentit considérablement la lecture et conduit à une compréhension souvent insuffisante.

Cette « carte-fiche de lecture », réalisée par Véronique (notre enseignante de CM1-CM2 que nous retrouverons dans le chapitre suivant), peut d'ailleurs servir à récolter les informations au fil de la lecture d'un livre. Elle sera ensuite très utile pour rédiger le résumé attendu. En effet, les élèves dyslexiques parviennent en général à se souvenir de l'histoire, de certains détails mais ne réussissent pas toujours à les organiser dans un résumé synthétique et structuré. Les informations contenues dans la « carte-fiche de lecture » vont leur permettre de rédiger des phrases simples dans un résumé organisé.

Pour les enfants souffrant de troubles dyspraxiques*, il va sans dire que c'est d'abord le parent qui dessinera la carte en collaboration avec l'enfant. Plus tard, l'utilisation de l'ordinateur et d'un logiciel de Mind Mapping permettra à l'adolescent de se débrouiller parfaitement, une fois comprise la logique de l'organisation et de la structuration des idées.

Les enfants souffrant de troubles dysphasiques* pourront, à partir de cartes simples, trouver la route de leurs idées pour formuler des phrases simples. Les images pourront être encore plus associées aux mots. Le support visuel les aide à rester accrochés à l'idée qu'ils veulent formuler.

Pour les enfants et les adolescents souffrant d'un TDA-H*, l'utilité de la carte est particulièrement importante pour rester centré sur le sujet principal. La pensée ne

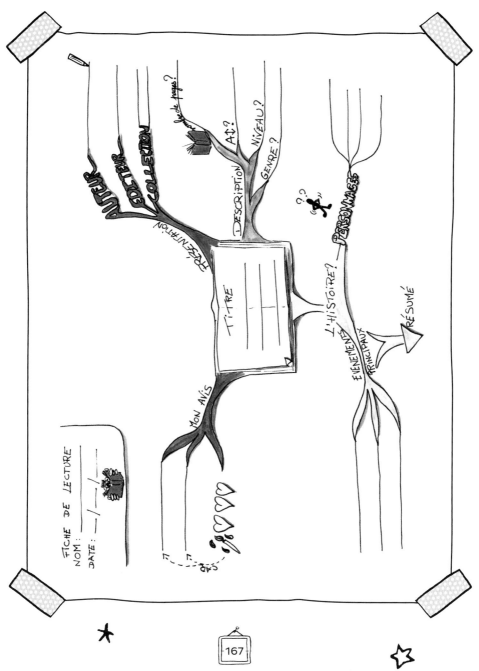

LE P'TIT ARISTOTE DESSINE DES ARBRES

saute plus « du coq à l'âne » avec des tours et des détours incessants. L'objectif est d'éviter que l'enfant ne se perde dans les détails et s'éloigne du sujet.

Pour les enfants qui souffrent de troubles envahissants du développement, TED*, l'utilisation du Mind Mapping favorise une mise à distance des émotions négatives. Elle permet également de développer progressivement l'esprit de synthèse de ces enfants qui restent souvent bloqués sur un tout petit détail.

★ Le Mind Mapping et les relations familiales

Nous ne pouvons terminer ce chapitre sans parler de l'utilisation du Mind Mapping au quotidien. Les cartes peuvent être faites sur des sujets aussi variés que la liste des courses, les cadeaux de Noël, l'organisation d'un anniversaire ou d'un voyage.

Nous vous proposons donc deux cartes qui vous aideront au quotidien.

La première carte « L'école, mon enfant et moi » va vous permettre de faire le point sur votre vision de votre enfant à l'école. Car nous parlons souvent de contenu, de notes, d'évaluations, mais nous oublions parfois d'interroger plus largement notre enfant sur la façon dont il perçoit l'école. Voici donc une carte qui vous permettra de prendre la « bonne » température, à savoir la vôtre mais aussi celle de votre enfant.

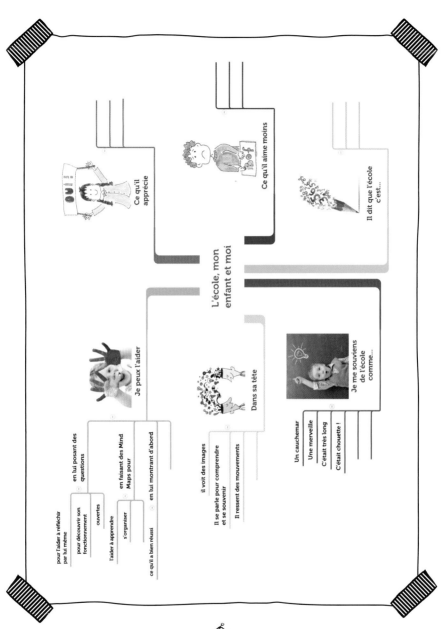

L'école, mon enfant et moi

Ce qu'il apprécie

Ce qu'il aime moins

Il dit que l'école c'est...

Je peux l'aider

en lui posant des questions

pour l'aider à réfléchir par lui-même

pour découvrir son fonctionnement

ouvertes

en faisant des Mind Maps pour

l'aider à apprendre

s'organiser

en lui montrant d'abord

ce qu'il a bien réussi

Dans sa tête

il voit des images

Il se parle pour comprendre et se souvenir

Il ressent des mouvements

Je me souviens de l'école comme...

Un cauchemar

Une merveille

C'était très long

C'était chouette !

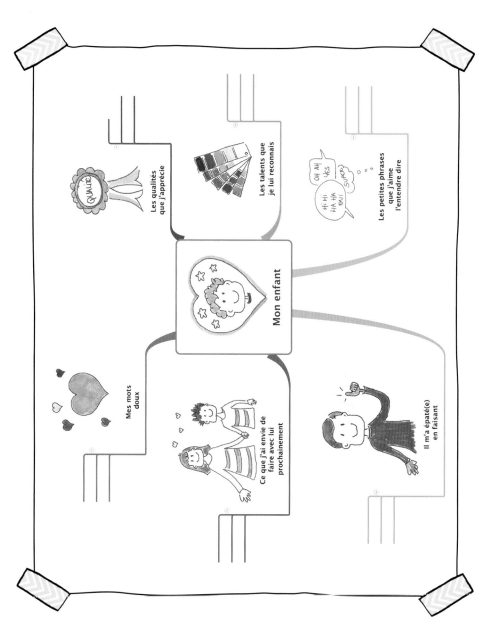

APPRENDRE AVEC LA PÉDAGOGIE POSITIVE

Et si l'école est très difficile pour lui, aidez-vous de cette seconde carte pour vous rappeler toujours que votre enfant n'est pas seulement un élève, et reconnectez-vous à ce qu'il a de plus précieux pour vous.

Même sans carte, il nous semble indispensable de prendre un petit temps avec son enfant, ou son ado, pour partager trois choses positives de la journée. Florence Servan-Schreiber dans son joli livre *3 kifs par jour* (voir bibliographie, page 191) rappelle à quel point exprimer sa gratitude fait du bien à la tête, au cœur et au corps.

Comme nous l'avons dit, apprendre à changer son angle de vue pour le porter sur ce qui est beau, bon et joyeux est une vraie ressource pour nous tous.

Beaucoup de nos patients et de nos stagiaires nous demandent systématiquement pourquoi la Pédagogie positive® et le Mind Mapping ne sont pas enseignés à l'école. À cela, nous répondons qu'ils le sont, mais ne font pas encore partie intégrante des programmes à l'échelle nationale. Cependant, le ministère de l'Éducation nationale possède un département de la Recherche et du Développement de l'Innovation et de l'Expérimentation. Nous avons la chance d'être en relation avec François Muller qui a la charge de l'animer. Comme il le rappelle dans son ouvrage *L'innovation : une histoire contemporaine du changement en éducation* (voir bibliographie, page 191), le monde change, l'école aussi ! Il est donc nécessaire de s'intéresser de très près aux actions « de terrain » qui modifient le modèle éducatif traditionnel.

LA PÉDAGOGIE POSITIVE® À L'ÉCOLE, C'EST POSSIBLE

- Véronique et les Maps.
- Vincent et les lapbooks

Nous avons plaisir à découvrir que de nombreux enseignants, lassés d'un enseignement trop classique, mettent en place des approches fort intéressantes que nous pensons totalement incluses dans une démarche de Pédagogie positive®.

Véronique Grasset, enseignante de primaire en CM1-CM2 dans le Rhône, réalise avec ses élèves des cartes qui sont aussi belles qu'efficaces dans l'apprentissage.

Vincent Damato, maître-formateur et professeur des écoles en Isère, en cycle 3, utilise les cartes dans sa classe depuis de nombreuses années. Il a également développé un outil appelé « lapbook » qui permet aux élèves de construire leur cours d'histoire et/ou de géographie, au sens propre et au sens figuré, puisqu'ils réalisent eux-mêmes leurs livres-objets à partir des éléments fournis par leur enseignant.

Nous avons donc choisi de les interroger sur leur démarche, dans un questionnaire intitulé « Apprendre autrement avec la Pédagogie positive® ».

Véronique et les Maps

☐ Quel était votre constat d'enseignant avant de mettre en œuvre une approche différente ?

Quand je lisais certaines leçons que devaient mémoriser mes élèves ou mes enfants, je me demandais comment ils pouvaient faire pour avoir « envie d'avaler »

172

autant d'informations… Comment pouvaient faire ceux qui n'avaient pas de « facilité » à mémoriser une longue suite de mots ?

J'avais également remarqué qu'il leur était ensuite difficile de retrouver une information, celle dont ils avaient besoin à un moment précis, ou bien encore celle qu'ils n'avaient pas encore complètement acquise.

J'avais aussi constaté que les élèves (et mes enfants !) ne savaient pas noter leurs idées. Ils cherchaient toujours à former des phrases. Ils formaient un texte et ne savaient pas le compléter, inclure de nouvelles idées à l'intérieur, le modifier. Ils avaient une conception « linéaire » d'un document (un début, une fin) et « globale », le document formant un bloc.

☐ Comment l'avez-vous mise en œuvre ?

J'ai commencé « doucement mais sûrement ». J'ai d'abord choisi la matière qui me semblait la plus complexe : la grammaire. Il me fallait reconstruire tous mes outils de travail, expérimenter des pratiques avec mes élèves… cela prenait du temps. Je devais apprendre moi aussi ! Tout naturellement, j'ai « élargi » cette pratique à d'autres matières. Lors d'une intervention dans une autre classe, j'ai remarqué que je notais les réponses des élèves au tableau sous forme d'une carte et, bien qu'ils n'en avaient jamais vu, cela ne leur a posé aucun problème…

J'ai aussi la chance de pouvoir échanger avec des collègues passionnés et ces échanges de pratiques sont pour moi un excellent moyen de progresser.

☐ Quelles difficultés avez-vous rencontrées ?

J'ai rencontré certains collègues qui me disaient qu'ils ne trouvaient pas cette façon de faire très pertinente. En creusant un peu, je me suis souvent rendu compte qu'ils ne connaissaient pas vraiment ces pratiques. La carte n'était souvent pour eux qu'un simple schéma… J'ai pu voir des cartes trop complexes, trop chargées… Ce n'est pas surprenant qu'elles ne soient pas efficaces et que les collègues ne soient pas emballés par cette pratique !

Pour éviter des difficultés avec les familles, je donne par exemple les leçons à apprendre sous les deux formes : la classique et une carte. Les parents peuvent choisir le document avec lequel ils se sentent le plus à l'aise pour aider leur enfant.

173

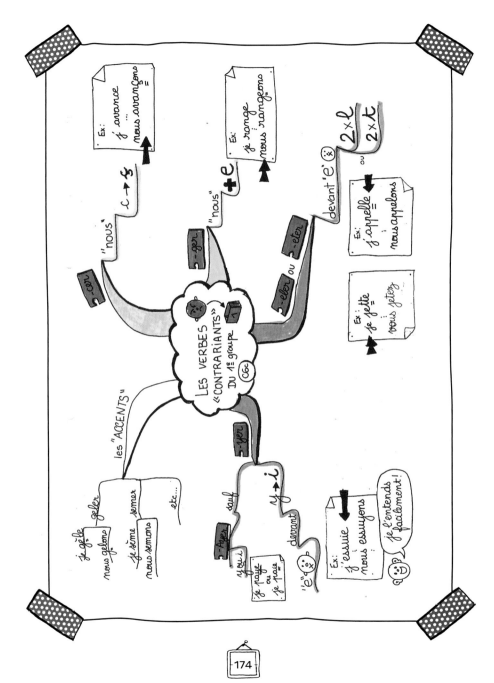

APPRENDRE AVEC LA PÉDAGOGIE POSITIVE

❏ Quels sont les bénéfices de cette « autre » façon d'apprendre ?

Les élèves manipulent les textes, les documents à la recherche de ce qui peut être supprimé, de ce qui est commun, de ce qui peut être remplacé par un dessin. Sans s'en rendre compte, ils assimilent, ils mémorisent.

Et puis la carte fait appel à plusieurs sens, plusieurs « canaux ». Quand ils doivent mémoriser une carte, ils « voient dans leur tête » (c'est l'expression qu'ils utilisent) : la forme, les couleurs, les dessins… Quand ils recherchent une information, ils suivent du doigt les branches, ils forment des phrases à voix haute.

Cette façon de faire a changé la relation avec mes élèves avec qui nous partageons un « truc » qui fait plaisir, qui marche et, cerise sur le gâteau pour eux, un langage que les autres classes n'ont pas (c'est pourtant regrettable).

❏ Avez-vous observé un impact dans la relation avec les parents ?

Je n'ai pas eu beaucoup de retour des parents.

❏ En quoi pensez-vous que votre démarche s'inscrit dans ce que nous appelons la Pédagogie positive® ?

Les cartes mentales sont selon moi, un outil de la pédagogie « positive » :

> ❏ Positive, parce que l'on sait que c'est un moyen efficace et même puissant. On peut le présenter à des élèves en difficulté comme un moyen qui va les aider, ils ne se sentiront plus coincés dans une impasse…

> ❏ Positive, parce que c'est amusant de colorier, dessiner, inventer et donc c'est très motivant…

> ❏ Positive, parce que cela développe des compétences importantes dans toutes les situations de la vie scolaire et même personnelle : être créatif, savoir aller à l'essentiel, développer ses capacités de mémorisation… Je crois que la liste « des plus » est longue…

❏ Pourquoi utiliser la carte en classe de CM1-CM2 ?

Voici la réponse de Véronique, réalisée sous forme de carte, pour expliquer sa démarche.

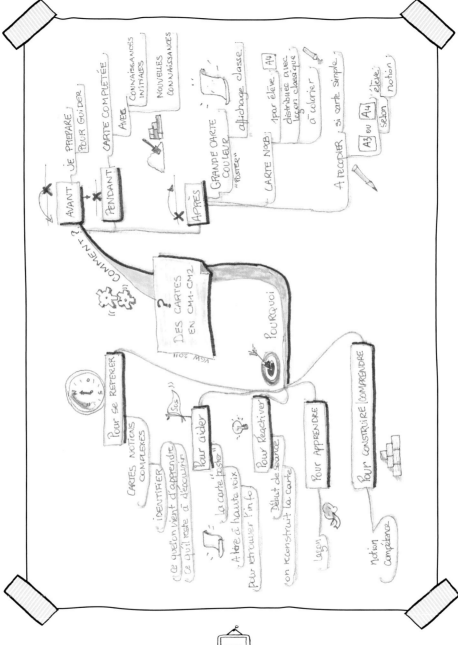

APPRENDRE AVEC LA PÉDAGOGIE POSITIVE

Vincent et les lapbooks

❏ Quel était votre constat d'enseignant avant de mettre en œuvre une approche différente ?

Je constatais un « taux de transformation » faible entre la leçon, la notion à apprendre et la qualité, l'exhaustivité de la restitution.

Par ailleurs, les élèves faisaient preuve de peu d'intérêt quant à l'histoire-géographie. La restitution des apprentissages n'était pas toujours très probante et je voyais bien que les élèves ne reliaient pas les éléments historiques entre eux.

D'une manière générale, ils apportaient peu de soin à leur travail, notamment dans le découpage et le collage, quelle que soit la matière.

Je faisais également le constat que les séquences sont peu jalonnées pour les élèves : ils ne savent généralement pas combien de temps durent les séquences, les leçons s'enchaînent « indéfiniment », jusqu'à ce qu'on leur annonce l'évaluation…

Il y avait un besoin de cadrer mes séquences en fonction des programmes pour n'aborder que ce qui est demandé officiellement. Le décalage entre ce que je connaissais en techniques d'apprentissage et ce que je faisais était important.

❏ Comment l'avez-vous mise en œuvre ?

Je l'ai mise en œuvre un peu du jour au lendemain, même si l'idée des lapbooks me trottait dans la tête depuis plusieurs années. J'ai fini par prendre le temps de la réflexion, en me disant que certains élèves de la classe, avec des profils particuliers (dyspraxique, TDA-H et/ou dyslexique) avaient besoin d'un cadre complètement explicite pour ces séances.

Au début, les cartes mentales n'étaient pas prévues, mais les élèves les ont demandées. J'ai fait le choix de les fournir « prêtes à colorier » pour assurer une certaine qualité au document « institutionnalisé », et également parce que certains dossiers ont un nombre important d'éléments à organiser sur la carte. Les élèves étaient libres de s'en constituer une.

177

☐ Quelles difficultés avez-vous rencontrées ?

Je n'ai pas eu à subir l'irruption intempestive d'un inspecteur hurlant, m'intimant l'ordre d'arrêter mes bêtises. Au contraire, l'inspecteur compte même présenter les dossiers au groupe de travail « Culture Humaniste ».

Les seules difficultés que j'ai rencontrées sont essentiellement des difficultés techniques, au début, dues à des problèmes de mise en page pour que les dossiers ne soient pas trop longs et décourageants pour les élèves.

☐ Quels sont les bénéfices de cette « autre » façon d'apprendre ?

Pour les élèves, le premier bénéfice a été un réel engouement pour les matières enseignées. La qualité de l'objet final les a fortement motivés. J'ai senti chez eux également un regain au niveau de leur créativité.

Par ailleurs, les temps de prise de notes libres ont permis aux élèves de s'intéresser réellement aux notions importantes et de les relier les unes aux autres.

Les devoirs proposés à la maison les ont fortement mobilisés, d'autant que le principe était de leur demander de « jouer » avec leurs parents, sans pour autant qu'il y ait une attente explicite de réussite.

Au final, les restitutions en évaluation ont été très bonnes, même sur des questions de transferts de connaissance du type : « si la Première Guerre mondiale n'avait pas eu lieu, y aurait-il quand même eu la Seconde ? » Beaucoup d'élèves ont répondu en argumentant. Par exemple : « Oui, elle aurait quand même eu lieu car il y aurait quand même eu la crise de 1929 et l'arrivée d'Hitler au pouvoir » ou « Non, car les Allemands n'auraient pas été "vexés" par le traité de Versailles et ils n'auraient pas voulu se venger. »

Pour moi : les séances étaient bien plus cadrées et les séquences ont tenu dans le temps prévu. J'ai pu « compiler » un certain nombre de techniques d'apprentissage que je connaissais.

Voici un exemple de carte intitulée « La violence au XXᵉ siècle » réalisée par Vincent en synthèse d'une séance de travail avec ses élèves.

178

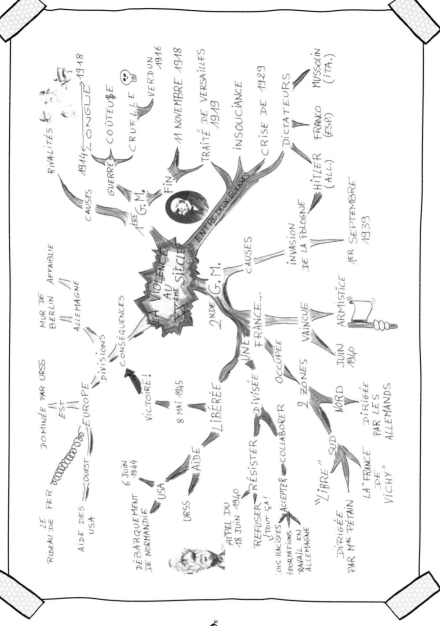

LA VIOLENCE AU XX ÈME SIÈCLE

1ère G. M.
- CAUSES
  - RIVALITÉS
  - GUERRE : LONGUE 1914→1918, COÛTEUSE, CRUELLE, VERDUN 1916
- FIN : 11 NOVEMBRE 1918
- TRAITÉ DE VERSAILLES 1919

ENTRE DEUX GUERRES
- INSOUCIANCE
- CRISE DE 1929
- DICTATEURS : MUSSOLINI (ITA.), FRANCO (ESP.), HITLER (ALL.)

2nde G. M.
- CAUSES : INVASION DE LA POLOGNE, 1er SEPTEMBRE 1939
- FRANCE... : UNE FRANCE VAINCUE, JUIN 1940, ARMISTICE
  - OCCUPÉE, DIVISÉE : 2 ZONES
    - NORD : DIRIGÉE PAR LES ALLEMANDS
    - SUD "LIBRE" : LA "FRANCE DE VICHY" DIRIGÉE PAR Mal PÉTAIN
  - RÉSISTER : APPEL DU 18 JUIN 1940 : "Tout ça !"
  - REFUSER → ACCEPTER → COLLABORER
    - LOIS RACISTES
    - DÉPORTATIONS
    - TRAVAIL EN ALLEMAGNE
- LIBÉRÉE : AIDE
  - USA : DÉBARQUEMENT DE NORMANDIE, 6 JUIN 1944
  - URSS
  - VICTOIRE ! 8 MAI 1945

CONSÉQUENCES
- DIVISIONS : EUROPE
  - OUEST : AIDE DES USA
  - EST : DOMINÉE PAR URSS
- LE RIDEAU DE FER
- MUR DE BERLIN
- ALLEMAGNE AFFAIBLIE

LA PÉDAGOGIE POSITIVE À L'ÉCOLE, C'EST POSSIBLE

☐ **Avez-vous observé un impact dans la relation avec les parents ?**

Les parents se sont vite pris au jeu également et ont apprécié ces dossiers et la motivation de leur enfant à les utiliser. Le temps des devoirs n'était plus vécu comme difficile, mais il était devenu chez tous beaucoup plus détendu. Ils ont vu leur enfant progresser et apprendre avec plaisir.

Voici un exemple de pages du lapbook composé de cartes, documents, textes et illustrations que les élèves fabriquent eux-mêmes.

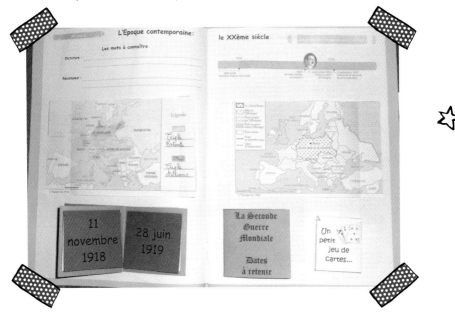

Certains élèves se sont même lancés dans la confection de leurs propres dossiers sur des thèmes libres (voyages avec leurs parents, sport pratiqué…).

☐ **En quoi pensez-vous que votre démarche s'inscrit dans ce que nous appelons la Pédagogie positive® ?**

Cette démarche s'inscrit dans la Pédagogie positive® car les élèves peuvent mesurer leur progression, en particulier en comparant leurs connaissances au début du dossier (la première lecture et la prise de notes étaient souvent accompagnées de nombreuses questions sur les documents) et ce qu'ils ont appris ou compris à chaque fin de séance. Ils se rendent vraiment compte qu'ils progressent et ils sont d'autant plus motivés. La progressivité des éléments abordés dans les différents dossiers a permis de leur éviter une certaine surcharge cognitive.

De plus, de nombreuses reprises sous forme de jeux, en devoirs à la maison ou en en début de séance leur ont permis d'ancrer plus durablement leurs connaissances.

Par ailleurs, la réalisation d'un objet le plus beau possible les oblige à faire preuve de beaucoup de soin. Cela s'est ressenti dans tous leurs travaux, même dans le cahier du jour.

Voici l'intérieur d'un lapbook sur la Renaissance, ainsi que sa dernière page qui reprend, sous forme de carte, l'ensemble des connaissances.

LA PÉDAGOGIE POSITIVE À L'ÉCOLE, C'EST POSSIBLE

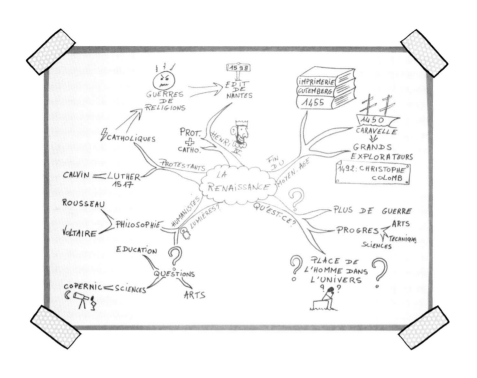

APPRENDRE AVEC LA PÉDAGOGIE POSITIVE

CONCLUSION

Nous arrivons à la fin de ce voyage et nous n'avons pas tout dit. Chaque chapitre pourrait faire à lui seul l'objet d'un livre à part entière.

L'accompagnement est notre passion, l'optimisme est notre moteur. Nous espérons que nous avons réussi à le communiquer dans ce livre imparfait mais qui nous rend libres et heureuses (merci Christophe André *again*).

Que pouvons-nous retenir de cette Pédagogie positive® ? Qu'elle n'est pas seulement une théorie « théorisante » supplémentaire sur l'apprentissage, mais qu'elle est surtout le fruit d'une vision optimiste, joyeuse et réaliste et que sa mise en œuvre incarnée au quotidien est possible !

Voici une petite histoire pour conclure

Une dame vient voir le Mahatma Gandhi avec son petit garçon. Elle fait la queue plusieurs heures pour accéder aux précieux conseils du grand sage. Arrivée devant Gandhi, elle explique « Bapu, j'aimerais que vous disiez à mon fils de ne plus manger de sucre ». Gandhi répond « Revenez le mois prochain ». Le mois suivant, même scénario. La demande est la même, la réponse est la même. Et ainsi de suite pendant trois mois. Au bout des trois mois, la dame revient et reformule la même demande. Gandhi regarde alors le petit garçon et lui dit : « Tu dois arrêter de manger du sucre, c'est mauvais pour toi. » La mère étonnée lui demande alors : « Mais, Bapu, pourquoi ne pas lui avoir dit dès la première fois ? » Gandhi conclut : « Il y a trois mois, je n'avais pas arrêté de manger du sucre et je ne savais pas à quel point cela était mauvais pour moi. »

La célèbre phrase du grand homme : « Vous devez être le changement que vous voulez voir arriver dans le monde », prend tout son sens.

Arrêtons de râler (merci Christine Lewicki) sur le système défaillant, sur les enfants qui ne sont plus ceux d'hier, sur les enseignants qui ne sont pas assez ceci ou trop cela… N'attendons pas le changement qui vient de l'extérieur, et sur lequel nous n'avons pas prise. Il en va de notre responsabilité d'être ce changement à notre petit niveau. Ne dit-on pas : « les petits ruisseaux créent les grandes rivières », voire les grands fleuves ?

Nous sommes pleines de gratitude pour tous ces parents, enseignants et accompagnants que nous rencontrons lors de nos formations et dans notre cabinet, qui ne se satisfont plus du système dans lequel ils évoluent et tentent autre chose.

La Pédagogie positive® n'est pas seulement une méthode de remédiation. Nous la voyons comme un modèle d'éducation qui doit être mis en œuvre dès le plus jeune âge, sans attendre d'éventuelles difficultés, de manière préventive, bienveillante et en pleine conscience. Nous pouvons faire le cadeau, ô combien précieux, à nos enfants d'une pédagogie joyeuse qui donne le goût d'apprendre partout, tout le temps.

Au-delà de la théorie et de la mise en pratique des trucs et astuces, la recette de la Pédagogie positive® trouve toute sa saveur si vous n'oubliez pas de saupoudrer l'ensemble d'une grosse pincée d'humour, d'énormes zestes de fantaisie et de grosses rasades de joie.

En avant toute !

Isabelle   Audrey.

Un bon fou rire et une bonne nuit sont les deux meilleurs remèdes a .

GLOSSAIRE

Les personnalités

Mary Kay Ash (1918- 2001), chef d'entreprise américaine, créa la célèbre marque de cosmétiques Mary Kay Cosmetics Inc.

Thomas Berry Brazelton est un pédiatre américain qui a mis au point, au cours des années 1940, un outil d'évaluation du comportement du nouveau-né (l'échelle de Brazelton) largement utilisé dans les services pédiatriques des hôpitaux du monde entier.

Paul Ekman, éminent psychologue américain du xxe siècle, est pionnier dans l'étude des émotions dans leurs relations aux expressions faciales.

Antoine de la Garanderie, philosophe et pédagogue, fut le fondateur de la Pédagogie des gestes mentaux.

Peter Gumbel est un journaliste anglophone amoureux de la France. Installé à Paris depuis 2002, il travaille pour la presse américaine.

Lenore Jacobson est directrice de l'école Oak School. Elle a contribué avec Robert Rosenthal à la découverte de l'effet Pygmalion.

Maria Montessori fut médecin et pédagogue italienne. Elle est mondialement connue pour la méthode qui porte son nom.

Sir Ken Robinson est né à Liverpool en 1950. Il est un chef de file reconnu du développement de la créativité, de l'innovation et des ressources humaines.

Robert Rosenthal est professeur émérite de psychologie de l'université de Californie. Il s'intéresse aux prophéties autoréalisatrices.

John Ernst Steinbeck Jr. (1968) est un écrivain américain du milieu du xxe siècle, dont les romans décrivent fréquemment sa Californie natale.

Rudolf Steiner, philosophe et pédagogue, a fondé les écoles Waldorf basées sur une pédagogie innovante, qui cherchent à articuler les enseignements intellectuels et les activités artistiques et manuelles.

Les notions clés

La **dyslexie** est un trouble spécifique, d'ordre neurologique, de l'apprentissage de la lecture. Il est lié à une difficulté à identifier les lettres, les syllabes ou les mots.

La **dysphasie** est un trouble central lié à la communication verbale.

La **dyspraxie** est une altération de la capacité à exécuter de manière automatique des mouvements déterminés.

Le **péripatéticien** est un pédagogue et philosophe, appelé aussi promeneur car il réfléchissait, parlait et écoutait en marchant dans les rues d'Athènes.

La **psychologie positive** est « l'étude scientifique du fonctionnement humain optimal ». Elle vise à découvrir et à promouvoir les facteurs qui permettent aux individus et aux communautés de prospérer.

La **remédiation cognitive** est utilisée pour pallier des difficultés de la sphère cognitive, notamment les troubles d'apprentissage.

Le **TDA-H**, c'est le trouble déficitaire de l'attention avec ou sans hyperactivité.

Les **TED** sont les troubles envahissants du développement dont le plus connu est l'autisme.

186

TABLE DES EXERCICES ET DES CAS PRATIQUES

Exercices

Cas pratiques

187

REMERCIEMENTS

Après cinq mois de travail acharné, cinquante tablettes de chocolat noir à la fleur de sel dégustées, des centaines de fous rires, quelques larmes et quelques « grrrrr », nous sommes arrivées à la fin de notre livre. Un livre joyeux, optimiste et créatif ! Tout comme nous.

Nous avons hésité à écrire ces remerciements car c'est un exercice périlleux. Le risque est toujours de tomber dans le piège de la longue liste du genre « remise des César » ou de vexer celles ou ceux que nous aurions oublié de citer. Cependant, la gratitude est l'un des éléments fondamentaux d'une approche positive de la vie et des rapports humains. Et de la gratitude nous en avons à revendre !

Merci à Gwenaëlle Painvin, notre éditrice, qui nous a laissé croire que nous avions des choses intéressantes à partager. Et nous l'avons crue ! Merci à toi d'avoir porté ce projet avec force, conviction et enthousiasme.

Un grand merci à toute l'équipe d'Eyrolles, Sandrine Navarro, François Lamidon, Emmanuelle Rochas, Karine Sylvestre et Caroline Verret pour la concrétisation du magnifique ouvrage que vous avez entre les mains.

Merci à Valérie Mauriac, pour sa relecture minutieuse et pleine de conseils judicieux.

Une mention spéciale pour Filf, Maud, notre illustratrice inspirée, qui a su, par ses dessins, véhiculer l'aspect ludique et positif de la Pédagogie positive®. Merci Filf !

Merci à Florence Servan-Schreiber d'avoir accepté de préfacer notre « bébé » livre. Elle nous offre ici un de nos plus grands KIF !

Merci à nos patients et nos stagiaires, petits et grands, qui nous ont fait assez confiance pour se livrer, et nourrissent notre pratique depuis des années. Ce livre est aussi le vôtre.

Merci à Stéphanie Hêtre, qui a eu l'excellente idée de nous mettre à la même table pour que nous fassions connaissance.

Merci à Murielle Botebol, notre ange gardienne qui est la bienveillance incarnée.

Merci à Sakina Nhari, notre amphétamine naturelle, boosteuse hors pair.

Merci à Joanna Quelen et son joyeux HappyLab. Sa pétillance et son optimisme nous confortent, chaque jour, dans l'idée qu'il est possible de faire évoluer les (in)consciences sur la voie du bonheur au quotidien.

Merci à Cécile Surateau, médecin nutritionniste, qui est à la nutrition ce que nous sommes à la pédagogie : positive !

Merci à Virginie Allain, soutien indéfectible et ravitailleuse en chocolats pendant toute la rédaction de ce livre.

Et merci à tous nos amis qui enchantent notre quotidien par leur présence.

Nous remercions chaleureusement monsieur Thieulot, enseignant de CM2, joueur de guitare, à la joie d'enseigner communicative et Mme Blumenthal, prof de philo hors norme qui avait compris qu'il était possible de faire cours dehors.

Audrey remercie :

Merci à mes parents Josy et Jacques Akoun. Merci pour votre amour inconditionnel qui m'a donné la force d'avancer sur le chemin de la vie, même dans les heures les plus douloureuses.

Merci à mon frère Jacky. Tu es l'incarnation de la bonté et ça fait du bien de savoir qu'il y a une personne comme toi sur Terre.

Merci à mes quatre merveilleux enfants. Vous faites ma joie de vivre au quotidien. Je vous aime.

David, j'ai « grandi » avec et grâce à toi. Je suis tellement heureuse de voir le jeune homme que tu es devenu : courageux, généreux, curieux et profondément gentil.

Benjamin, président de la Ligue « anti-moutons », ton originalité, ta créativité et ton humour me font jubiler. J'ai toute confiance en toi !

Hannah, ta sensibilité et ton intelligence fine et rusée me remplissent d'admiration. Tu es précieuse et importante. Ne l'oublie pas !

Aaron, petit roudoudou joyeux et malicieux. Tes rires et tes grimaces m'accompagnent tout au long de mes journées et me donnent une énergie débordante.

Et enfin, *last but not least*, merci à mon mari Romain, l'amour de ma vie, père et beau-père d'exception de notre tribu qui sait mettre l'harmonie au cœur des relations familiales. Merci d'avoir mis de côté un certain confort quotidien pour me permettre d'aller au bout de ce projet. J'ai une chance immense que tu m'aies choisie pour partager ta vie.

Isabelle remercie :

Merci à ma famille joyeuse, vivante et drôle.

Merci à Philippe mon génial mari et complice d'une vie, qui ne se sent pas diminué dans sa virilité quand il prend en charge l'intendance pour me laisser m'épanouir professionnellement. Ta tendresse et ta jovialité font toujours battre mon cœur.

Merci à mes magnifiques enfants, vous faites ma joie de tous les instants.

Camille, tu as ouvert la voie et bousculé mes certitudes de mère en choisissant de suivre ta passion, que tu exerces de manière si créative et déterminée. Je suis si fière de toi !

Antoine, ton ingéniosité et ta soif de comprendre le monde ne cessent de m'épater depuis toujours. J'espère que tu n'arrêteras jamais de me faire des câlins.

Garance, ta pétillance et ta douceur sont le délicieux cocktail d'une joie de vivre communicative. Je suis toujours impatiente des prochains fous rires que nous aurons ensemble.

Il n'y a pas un jour sans que je ne ressente une gratitude infinie d'avoir la chance de partager vos vies.

Merci à mes parents qui m'ont appris à être très vite autonome.

Merci à mon frère, Thierry, qui prouve chaque jour que l'on peut enseigner avec fantaisie et bienveillance et merci à Valérie, ma belle-sœur si créative pour son soutien indéfectible pendant l'écriture de ce livre et au-delà.

Nous profitons de ces quelques lignes pour demander pardon à nos enfants pour toutes les erreurs éducatives que nous avons commises et continuerons de commettre peut-être (et qu'ils ne manquent pas de nous reprocher d'ailleurs). Nous voudrions avant tout les remercier de nous avoir servi de cobayes et d'avoir fait de nous les mères que nous sommes aujourd'hui, « imparfaites, libres et heureuses », comme dirait ce cher Christophe André.

BIBLIOGRAPHIE ET SITOGRAPHIE

Livres

Pédagogie/Éducation

Antoine de la Garanderie, Geneviève Cattan, *Tous les enfants peuvent réussir*, Bayard, 1988

Armelle Géninet, *Graphismes et mandalas d'apprentissage*, CP-CE1, Retz, 2006

Armelle Géninet, *Graphismes et mandalas d'apprentissage*, Cycle 3, Retz, 2006

Peter Gumbel, *On achève bien les écoliers*, Grasset, 2010

André Antibi, *Les notes, la fin du cauchemar ou en finir avec la constante macabre*, Math'Adore, 2007

T. Berry Brazelton, *Ce dont chaque enfant a besoin : ses sept besoins incontournables pour grandir, apprendre et s'épanouir*, Marabout, 2007

François Muller, *L'innovation : une histoire contemporaine du changement en éducation*, Editions CNDP, Chasseneuil du Poitou, février 2012

Psychologie positive

Florence Servan-Schreiber, *3 kifs par jour*, Marabout, 2011

Christophe André, *Imparfaits, libres et heureux, pratique de l'estime de soi*, Odile Jacob, 2009

Robert Maureer, *Un petit pas peut changer votre vie : la voie du kaisen*, LGF, 2008

Christine Lewicki, *J'arrête de râler*, Eyrolles, 2011.

Créativité

Ken Robinson, *The Element – How finding your passion changes everything*, Pingouin Book, 2010

Virginie Caplet, *Petit précis de créativité*, Editions En Voiture Simone, 2012

Méthodes de relaxation, sophrologie et de méditation de pleine conscience

Eline Snel, *Calme et attentif comme une grenouille : la méditation pour les enfants… avec leurs parents*, Les Arènes, 2012

Myla et Jon Kabbat Zinn, *A chaque jour ses prodiges : être parents en pleine conscience*, Les Arènes, 2012

Roger Vittoz, *Traitement des psychonévroses par la rééducation du contrôle cérébral*, Desclée de Brouwer, 2008

191

Nathalie Peretti, Geneviève Manent, *Relaxations créatives pour les enfants*, Le Souffle d'Or, 2007

Mind Mapping

Bary et Tony Buzan, *Mind Map : dessine-moi l'intelligence*, Eyrolles, 2012

Nancy Margulies, *Les cartes d'organisation d'idées : une façon efficace de structurer sa pensée*, Chenelière Editions, 2005

Publications

« L'ombre du système éducatif » de Mark Bray, étude publiée pour l'Institut International de planification de l'éducation de l'Unesco, 2011

« Gare au *multitasking* », étude de Christophe Plottard, *Valeurs actuelles*, janvier 2008

« Le *multitasking* », étude du professeur Earl Miller, MIT, 2009

Éthique, Edgar Morin, vol. 6, Points, 2006

Vidéos et sitographie

La Fabrique à Bonheurs (c'est notre site !)
Nos ateliers, nos formations, notre bibliothérapie…
http://www.lafabriqueabonheurs.com/

Et notre blog
Avec ses sympathiques articles et ses jolies trouvailles…
http://lafabriqueabonheursblog.com/

TED Talks
Ken Robinson « *Does School kill Creativity ?* »
Ken Robinson « *Bring on the learning revolution* »
http://www.ted.com/talks/lang/fr/ken_robinson_says_schools_kill_creativity.html

Time Timer®
www.timetimer.com

Blog de Philippe Boukobza
http://www.heuristiquement.com/

Logiciels Mind Mapping
www.xmind.net
Imindmap.com
www.thinkbuzan.com (logiciel de Tony Buzan)

Orthographe
Un site joyeux pour apprendre l'orthographe en chantant.
http://orthochansons.fr

PEFC
10-31-2065
Certifié PEFC
pefc-france.org

IMPRIM'VERT
Votre imprimeur agit pour l'environnement

Dépôt légal : octobre 2014
Achevé d'imprimé : Pollina - L70068
Imprimé en France
N° d'édition : 4688